les guides
vélo mag

D1004336

Le Québec en 30 boucles

Les circuits préférés des cyclistes du Québec

Vélo Québec
ÉDITIONS

LES LAURENTIDES

NOTRE DÉCOR... VOTRE SCÉNARIO!

SUR ROUTE

HORS-ROUTE

LAURENTIDES.COM/CYCLO

1 866 777-1224

TOURISME LAURENTIDES Québec

Table des matières

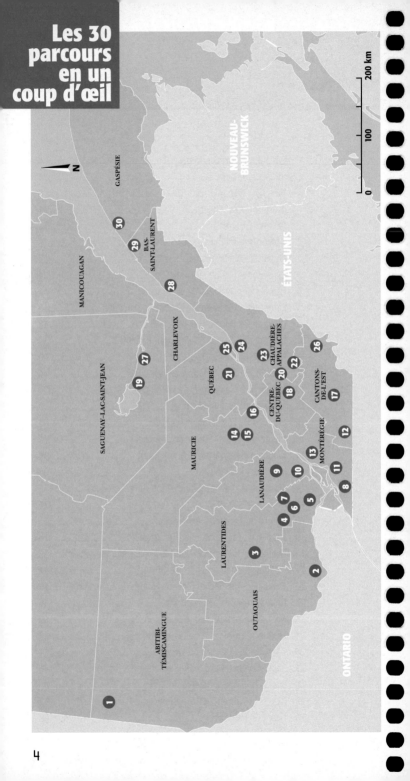

Les 30 parcours en un coup d'œil

CONFORT = PERFORMANCE

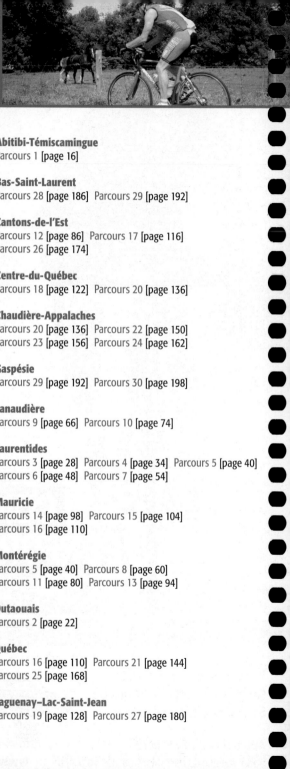

Index par région

Index par niveau de difficulté

Par niveau de difficulté

Les HaUTeS·LaUReNTIDeS

votre passeport nature

On se la roule douce !

LES HAUTES-LAURENTIDES
VOUS INVITENT À DÉCOUVRIR...

- **Le plus long tronçon asphalté (93 km)** sur le parc linéaire Le P'tit train du Nord

- **10 itinéraires à vélo** sur route de 1 à 3 jours

- La toute nouvelle **carte vélo 2012**

- **L'incomparable,** notre forfait vélo privilège pour petits groupes

- **Le club Vélo Antoine-Labelle** et ses sorties hebdomadaires

ANTOINE-LABELLE
CLUB VÉLO
HAUTES-LAURENTIDES

Trente ambassadeurs, une passion

Lorsque, en 2010, j'ai lancé l'idée de faire appel aux fidèles lecteurs de *Vélo Mag* pour qu'ils nous fassent connaître leurs parcours de prédilection, je ne m'attendais pas à ce qu'ils répondent en si grand nombre. Ne pouvant publier toutes leurs suggestions, nous avons dû faire des choix, toujours déchirants, notamment pour nous assurer de couvrir les quatre coins de la province.

Quelques semaines plus tard, nous montions en selle, Gaétan Fontaine, Jacques Sennéchael, Suzanne Lareau et moi-même, pour effectuer chaque trajet en compagnie du cycliste qui l'avait proposé. De Sainte-Martine en Montérégie à Normétal en Abitibi, nous avons eu droit à un accueil des plus chaleureux.

Nous en sommes rapidement venus à cette conclusion : les cyclistes sont les meilleurs ambassadeurs de leur région.

Pour l'avoir pédalée de long en large, jusque dans ses moindres recoins, les cyclistes connaissent leur région mieux que quiconque. En voulant éviter les voies trop passantes, ils ont découvert les magnifiques routes de l'arrière-pays. C'est leur terrain de jeu, ils en sont fiers et le partagent avec nous pour notre plus grand bonheur. Ils ont aussi beaucoup à raconter sur leur coin de pays : une anecdote sur un détail de l'itinéraire, les meilleurs endroits pour déguster une bière locale ou un fromage du terroir... On retrouve donc, un peu partout dans ce guide, leur touche personnelle.

L'équipe de *Vélo Mag* a non seulement pédalé chacune des trente boucles de 43,5 à 85,0 km et pris quelques clichés, mais elle a minutieusement détaillé les trajets afin d'y intégrer toutes les informations dont vous avez besoin : un hébergement et un restaurant à proximité du point de départ, les vélocistes et les points de ravitaillement le long des parcours, les endroits où prendre une pause, la distance, le niveau de difficulté et le dénivelé positif.

Personnellement, j'aurais envie de parcourir de nouveau chacun de ces trente circuits. Mais c'est d'abord à vous que s'adresse ce guide. Ne tardez plus, choisissez l'un d'eux et enfourchez votre vélo. Soyez-en certain, vous ferez BONNE ROUTE.

Patrice Francœur
Directeur artistique et journaliste, *Vélo Mag*

Centre·du·Québec

Faites de chaque
coup de pédale
un coup de cœur!

Plus de 25 circuits routiers

Partagez vos expériences sur
f /velocentreduquebec

Trois-Rivières
Bécancour
Nicolet
Sorel-Tracy
Plessisville
Victoriaville
AGTCQ
Drummondville
Asbestos
Saint-Hyacinthe
Richmond
Granby

La route est belle.
Le temps est bon.

Remerciements

Ce guide n'aurait jamais vu le jour sans la précieuse collaboration des parrains de chacun des parcours : Steve Grant, Benjamin Dumont, Jacques Saint-Pierre, Jean-Luc Michaud, Denis Lebel, Michel Bélanger, Luc Baril, Gilles Labre, Louis Yves LeBEAU, France Thiboutot, Pierre Ménard, David Bérubé, Monique Robitaille, Marie-Josée Gervais, Luc Arvisais, Jean-François Pronovost, Paul Mackenzie, Christine Marcoux, Carl Larouche, Renald Chabot, Lynda Chabot, Carl Perreault, Jacques Marleau, Marc Lépine, Daniel Therrien, Chantal Lessard, Dany Gagnon, Gaston Morneau, Suzanne Lareau et David Barrette.

Un merci particulier à tous ceux et celles qui nous ont soumis leurs parcours de prédilection mais qui, pour diverses raisons, n'ont pas été retenus. N'ayez crainte, *Vélo Mag* a une foule de projets dans ses cartons et trouvera sûrement l'occasion d'honorer vos propositions.

Pour leurs conseils sur les lieux d'hébergement et de restauration ainsi que pour leur grande disponibilité, nous tenons à remercier les responsables des relations de presse et des communications des diverses associations touristiques régionales du Québec (ATR) : Stéphanie Thuot (Abitibi-Témiscamingue), Anne Chardon (Outaouais), Pierre Bessette (Laurentides), Andréanne Beaulieu (Lanaudière), Danie Béliveau (Cantons-de-l'Est), Marie-Ève Labelle (Mauricie), Paule Bergeron (Québec), Isabelle Hallé (Centre-du-Québec), Sarah Moore (Chaudière-Appalaches), Nancy Donnelly (Saguenay–Lac-Saint-Jean), Julie Lamontagne (Bas-Saint-Laurent), Christine Saint-Pierre (Gaspésie) et Frédéric Houle (Centre local de développement d'Antoine-Labelle).

Éditeur Pierre Sormany **Coordonnatrice à l'édition** Mira Cliche **Directeur artistique** Patrice Francœur
Infographie José Charron **Cartographie** Pierre-Marc Doucet **Révision et correction** Diane Boucher
Photos de la page couverture Gaétan Fontaine, Jacques Sennéchael et Patrice Francœur

Imprimé au Québec par LithoChic

1251, rue Rachel Est, Montréal (Québec) H2J 2J9 Téléphone : 514 521-8356 www.velo.qc.ca

La région de
Sorel-Tracy

À seulement 45 minutes de Montréal

PORTE D'ACCUEIL
DE LA RÉSERVE
MONDIALE DE LA BIOSPHÈRE
DU LAC-SAINT-PIERRE

Si près...

Un terrain de jeu à votre mesure !

- Cinq différents circuits sur route
- Piste cyclable La Sauvagine, accréditée Route verte
- Tour cycliste et randonnée familiale
- Établissement d'hébergement 4 étoiles certifié *Bienvenue cyclistes !*[MD]

Le vélo ne vous suffit pas ? Découvrez aussi...

- 103 îles à sillonner en kayak, en canot ou en canot-voyageur
- Sentiers de marche aménagés en pleine nature et en milieu urbain
- Plusieurs terrains de camping (classifiés 2, 3 ou 4 étoiles)

Renseignements : **1 800 474-9441** | tourismeregionsoreltracy.com

 /tourismeregionsoreltracy

Les parcours

01.

[La Sarre › Saine-Hélène-de-Mancebourg › Dupuy › Normétal › La Sarre]

DISTANCE	NIVEAU	DÉNIVELÉ POSITIF
85,0 km	●●●●○	235 m

S'Y RENDRE

Prendre l'autoroute 15 Nord, qui devient la route 117 Nord. À Val-d'Or, prendre la route 111 Nord jusqu'à La Sarre. Tourner à gauche sur la 12ᵉ Avenue Est et poursuivre jusqu'au bureau d'information touristique, à l'angle de la rue Principale. Stationnement disponible.

La piqûre abitibienne

La piqûre abitibienne ne fait pas ici référence aux piqûres de mouches, mais bien à la piqûre du vélo qu'ont attrapée les Abitibiens ces dernières années, de même qu'à la piqûre qu'ont eue pour l'Abitibi beaucoup de Québécois et de Français qui s'y sont installés. *Le Québec en 30 boucles* n'aurait pas mérité son appellation sans un parcours en territoire abitibien. Sortant des sentiers battus à l'invitation de Steve Grant, voici un itinéraire dans la MRC d'Abitibi-Ouest, plus précisément sur le territoire des municipalités de La Sarre et de Normétal. Dépaysement assuré ! Faisons fi des lieux communs et des clichés trop souvent répandus : se rendre en Abitibi pour la première fois est un pur enchantement. Parcourir la région sur deux roues ne fait que décupler le plaisir.

Ce trajet, bien qu'ayant un niveau de difficulté relativement élevé, ne devrait pas faire fuir les cy

MOTEL VILLA MON REPOS
32, rte 111 Est, La Sarre
819 333-2224 / 1 888 417-3767
motelvillamonrepos.qc.ca
En plus des soixante-dix grandes chambres récemment rénovées, dont plusieurs avec bain thérapeutique, cet établissement alloue de l'espace à profusion pour ranger son vélo. Miniréfrigérateur, wifi, salle à manger et bar avec terrasse.

« J'effectue habituellement ce parcours pour la première fois dès la mi-juin, et je le refais autant de fois que possible jusqu'à l'automne. À mon avis, franchir le 49ᵉ parallèle à vélo et arriver aux limites de la baie James, ce n'est pas banal. De plus, la grande quiétude des routes me permet de rouler peinard et de faire le vide. »

cistes moins aguerris. On y monte et on y descend, mais jamais très longtemps selon un dénivelé intimidant. La route est souvent dépourvue d'accotement, cependant la circulation automobile est très limitée. De plus, les rares automobilistes croisés sont d'une courtoisie exemplaire.

À la fin du mois d'août, le paysage est de toute beauté. Une éblouissante variété de fleurs sauvages orne le bord des routes, formant ici et là de splendides taches de couleurs. Et que dire des nombreux panneaux routiers annonçant le passage probable d'un orignal ? C'est pour le moins... exotique !

UNE PAUSE À l'entrée du village de Normétal se situe un parc pourvu de bancs et de quelques tables de pique-nique.

PETIT PLAISIR

LA VACHE À LAIT
Située à quelques centaines de mètres du point de départ, **La vache à Maillotte** propose plusieurs fromages, notamment au lait de brebis. L'Allegretto est particulièrement séduisant, surtout lorsque, sur les bons conseils de la fromagère, on en gratine un plat : sublime ! Sont également offerts une foule de produits régionaux et une tarte aux pacanes carrément renversante.

600, 2ᵉ Rue Est, La Sarre
819 333-1121
vacheamaillotte.com

RESTO BAR LE GRECQUO
7, 2ᵉ Rue Est, La Sarre
819 333-9225
Manger des plats grecs en plein cœur de l'Abitibi, pourquoi pas ? Surtout quand l'accueil est chaleureux et la cuisine fort honnête. Tous les classiques helléniques y sont, de la salade grecque aux souvlakis.

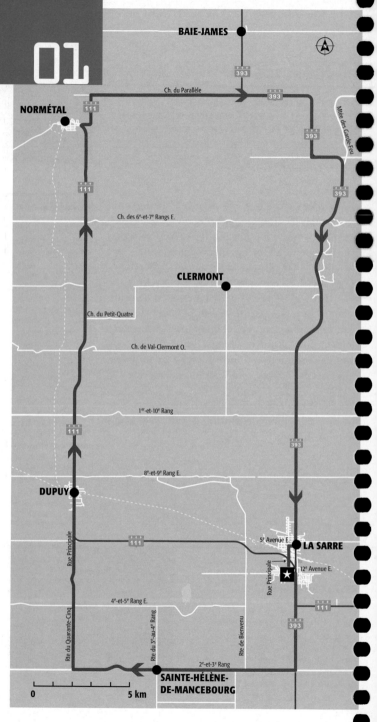

BAIE-JAMES

Ch. du Parallèle

NORMÉTAL

Mtée des Garde-Feu

Ch. des 6ᵉ-et-7ᵉ Rangs E.

CLERMONT

Ch. du Petit-Quatre

Ch. de Val-Clermont O.

1ᵉʳ-et-10ᵉ Rang

8ᵉ-et-9ᵉ Rang E.

DUPUY

5ᵉ Avenue E.

LA SARRE

Rue Principale

12ᵉ Avenue E.

Rue Principale

Rte du Quarante-Cinq

4ᵉ-et-5ᵉ Rang E.

Rte du 3ᵉ-au-4ᵉ Rang

Rte de Bienvenu

2ᵉ-et-3ᵉ Rang

SAINTE-HÉLÈNE-DE-MANCEBOURG

0   5 km

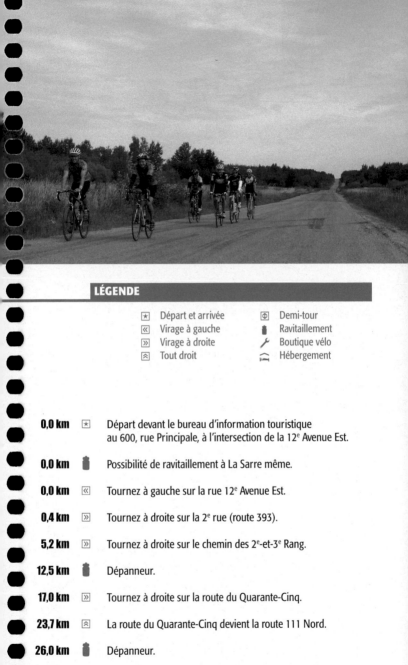

LÉGENDE

⋆	Départ et arrivée	⊕	Demi-tour
«	Virage à gauche	🍶	Ravitaillement
»	Virage à droite	🔧	Boutique vélo
⌃	Tout droit	🛏	Hébergement

0,0 km ⋆ Départ devant le bureau d'information touristique au 600, rue Principale, à l'intersection de la 12e Avenue Est.

0,0 km 🍶 Possibilité de ravitaillement à La Sarre même.

0,0 km « Tournez à gauche sur la rue 12e Avenue Est.

0,4 km » Tournez à droite sur la 2e rue (route 393).

5,2 km » Tournez à droite sur le chemin des 2e-et-3e Rang.

12,5 km 🍶 Dépanneur.

17,0 km » Tournez à droite sur la route du Quarante-Cinq.

23,7 km ⌃ La route du Quarante-Cinq devient la route 111 Nord.

26,0 km 🍶 Dépanneur.

45,0 km 🍶 Station-service. On peut y acheter de l'eau ou y emplir son bidon.

01

STEVE GRANT
NOUS A DIT...

«Aménagée depuis cinq ans, la piste multifonctionnelle fait la fierté des Lasarrois.
Pour ma part, j'aime bien faire un aller-retour (9 km) en empruntant un des vélos elliptiques qu'on offre en location. La Sarre bouge davantage depuis l'aménagement de cette piste!»

LÉGENDE

★	Départ et arrivée	⊡	Demi-tour
≪	Virage à gauche	▮	Ravitaillement
≫	Virage à droite	⚲	Boutique vélo
⌂	Tout droit	⌂	Hébergement

45,0 km ≫ Tournez à droite afin de demeurer sur la route 111 Nord.

46,8 km ≫ Tournez à droite afin de demeurer sur la route 111 Nord.

54,6 km ⌂ Continuez tout droit pour suivre la route 393 Sud.

62,6 km ≫ À la fourche, prenez à droite afin de demeurer sur la route 393 Sud.

83,2 km ≫ Tournez à droite sur la 5e Avenue Est.

83,4 km ⚲ Intersport, 46, 5e Avenue Est, La Sarre, 819 339-5639.

83,6 km ≪ Tournez à gauche sur la rue Principale.

85,0 km ★ De retour à votre point de départ.

02

RÉGION
Outaouais

[Gatineau › Parc de la Gatineau › Chelsea › Gatineau]

DISTANCE	NIVEAU	DÉNIVELÉ POSITIF
53,8 km	●●●○○	375 m

S'Y RENDRE

De l'autoroute 417, prendre la sortie 121A, puis suivre les indications pour le Musée canadien des civilisations. Continuer sur la rue Laurier jusqu'à la Maison du vélo, qui est située au 350.

Douce Outaouaise

Merci, William Lyon Mackenzie King! C'est grâce au dixième premier ministre du Canada que la région de l'Outaouais compte sur son territoire le merveilleux parc de la Gatineau. En effet, à sa mort, Mackenzie King lègue aux Canadiens sa propriété de plus de 231 hectares dans les collines de la Gatineau. C'est autour d'elle que le gouvernement établira les limites du parc, dont le parcours proposé sillonne quelques-unes des belles routes. Au début d'avril, quand toute trace de neige a disparu, ces routes ne sont pas encore ouvertes aux automobilistes mais elles le sont pour les cyclistes. Le moment coïncide avec les premières sorties à vélo, les routes sont dégagées, et il n'y a pas une seule voiture – c'est magique !

Le tracé dans le parc comporte deux montées d'environ 6 %, celles des lacs Pink et Black ; la pre-

🛏 ✕

FOUR POINTS SHERATON
35, rue Laurier, Gatineau
819 778-6111 / 1 888 627-8089 (réservations)
fourpoints.com/gatineau

Le Four Points accueille les cyclistes dans des chambres spacieuses et confortables. Hôtel tout confort avec rangement pour les vélos, piscine, gym, et wifi gratuit dans toutes les chambres.

Les établissements certifiés Bienvenue cyclistes ! sont répertoriés à routeverte.com/bienvenuecyclistes.

PARCOURS PROPOSÉ PAR
BENJAMIN DUMONT, GATINEAU

«Les gens de la région adorent ce parcours. Pas trop difficile malgré deux bonnes montées, il a l'avantage de se terminer surtout en descente. Si vous en avez la chance, faites-le un dimanche matin, lorsque la promenade de la Gatineau est fermée à la circulation automobile, de 6 h à midi.»

...ière grimpe sur 1,5 km, la seconde s'étale sur environ 7 km divisés en trois paliers. C'est donc un parcours de difficulté moyenne que ne devraient pas bouder les cyclistes moins expérimentés. Prenez le temps de vous arrêter aux différents belvédères, car les points de vue y sont splendides. Pour quitter la ville de Gatineau et y revenir, vous emprunterez le réseau cyclable : c'est beaucoup plus paisible et, surtout, les pistes sont fort bien aménagées.

UNE PAUSE Le parc de la Gatineau regorge d'endroits où s'arrêter un instant pour casser la croûte, souvent dans un décor impressionnant. Le lac Mulvihill et le lac Fortune, notamment, ont des aires aménagées.

PETIT PLAISIR

DE LA VRAIE BONNE CRÈME GLACÉE
Amateur de crème glacée? Un arrêt s'impose à **La Cigale**. Au km 37,8, alors que vous roulez sur le chemin Old Chelsea, vous croisez le chemin Scott ; parcourez une centaine de mètres et vous y êtes. Toutes les glaces sont faites maison, de même que les cornets gaufrés dans lesquels on les sert. Vous nous en donnerez des nouvelles !

14, ch. Scott, Chelsea
819 827-6060

BISTRO SAINT ÉLOI
...0, ch. du Lac-Leamy, Gatineau
819 595-3222
...tro-saint-eloi.ca
Situé directement sur la piste cyclable, ce bistro offre entre autres un vaste choix de petits déjeuners à déguster en salle ou sur la terrasse. Aussi, grande sélection de bières belges en fût. Vin facturé à prix doux.

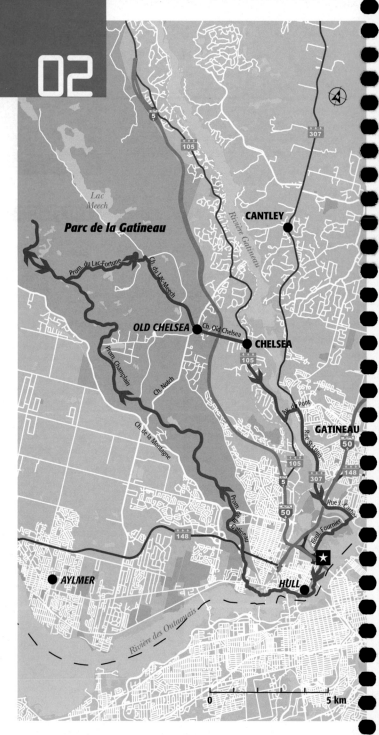

LÉGENDE

⋆	Départ et arrivée	⊕	Demi-tour
≪	Virage à gauche	🔧	Ravitaillement
≫	Virage à droite	🔧	Boutique vélo
⇧	Tout droit	🏠	Hébergement

0,0 km ⋆ Les six premiers kilomètres s'effectuent sur piste cyclable, et les indications ci-dessous sont précieuses pour le bon déroulement de la randonnée. La piste débute à l'extrémité de la rue Laurier.

0,0 km ≫ Tournez à droite sur la piste cyclable.

1,4 km ≪ Au Y, prenez la gauche.

2,7 km ≫ Au Y, prenez la droite.

3,5 km ≪ Tournez à gauche.

5,3 km ≫ Tournez à droite sur la rue Belleau.

5,4 km ≪ Tournez à gauche sur le boulevard Alexandre-Taché.

5,6 km ≫ Tournez à droite sur la promenade de la Gatineau.

16,3 km ≪ Tournez à gauche sur la promenade Champlain.

27,0 km ⊕ À la fin de la promenade Champlain, faites demi-tour.

29,6 km ≪ Tournez à gauche sur la promenade du Lac-Fortune.

02

 BENJAMIN DUMONT
NOUS A DIT...

« La vue du belvédère Champlain est imprenable, je ne m'en lasse pas. C'est une belle récompense après une longue montée de 7 km. On s'y arrête un instant avant d'amorcer la descente. »

33,9 km ≫ Tournez à droite sur le chemin du Lac-Meech.

37,8 km ⬕ À partir d'ici s'amorce le chemin Old Chelsea.

37,8 km ▮ Dépanneur. Pour une bonne crème glacée, tournez à gauche sur le chemin Scott (voir PETIT PLAISIR en page 23).

40,0 km ≫ Tournez à droite sur la route 105.

43,6 km ≪ Tournez à gauche sur l'avenue du Pont et traversez la rivière.

44,4 km ≫ Tournez à droite sur la rue Saint-Louis (route 307).

46,4 km 🔧 Cycle Outaouais, 1955, rue Saint-Louis, Gatineau, 819 568-4871.

48,7 km ≫ Tournez à droite sur la rue Jacques-Cartier.

50,0 km ≫ Tournez à droite sur le boulevard Fournier et traversez la rivière.

50,3 km ≪ Tournez à gauche sur la piste cyclable.

51,0 km ≪ Tournez à gauche pour rester sur la piste cyclable.

52,7 km ≫ Tournez à droite.

53,8 km ⊡ De retour à votre point de départ.

03
RÉGION
Laurentides

[Mont-Laurier › Kiamika › Mont-Laurier]

DISTANCE	NIVEAU	DÉNIVELÉ POSITIF
43,5 km	●●○○○	138 m

S'Y RENDRE

Prendre
l'autoroute 15
Nord, puis la route
117 Nord jusqu'à
Mont-Laurier, où
elle prend pour
nom boulevard
Albiny-Paquette.
Tourner à droite
sur la rue Hébert,
puis à droite sur la
rue Vaudreuil.
Le départ
s'effectue en face
de l'ancienne gare,
à l'intersection
de la rue Olivier-
Guimond, à
l'extrémité de
la piste cyclable Le
P'tit Train du Nord.

La Lièvre et la tortue

Métamorphosons la fable de La Fontaine et parlons plutôt de la Lièvre, belle rivière que longe ce parcours, et de la tortue, cette fois non pas pour courser opiniâtrement, mais au contraire parce que les beaux paysages de cet itinéraire incitent à rouler lentement et à faire halte souvent. Les cyclistes sont de plus en plus nombreux à se rendre dans les Hautes-Laurentides, et on comprend pourquoi dès les premiers coups de pédale. Il ne faut pas craindre le relief de la région : on propose d'ailleurs ici un parcours dont le kilométrage et le dénivelé sont modestes, afin que même les cyclistes novices puissent profiter de la beauté des paysages. Le parcours bouclé, ils en redemanderont ! Ça tombe bien, car la région offre plusieurs autres parcours plus costauds. Le départ de ce trajet-ci se fait devant l'ancienne gare de Mont-

AUBERGE RÊVE BLANC
707, ch. de Ferme-Rouge, Mont-Laurier
819 623-2628
auberge-quebec.ca
L'accueil chaleureux et les huit jolies chambres font de cette auberge un endroit de rêve. Prenez le temps d'admirer les chevaux et les... cent trente-cinq chiens ! Possibilité de promenades équestres ou en traîneau à chiens. En prime, une très bonne table.

Les établissements certifiés Bienvenue cyclistes ! sont répertoriés à routeverte.com/bienvenuecyclistes.

PARCOURS PROPOSÉ PAR
JACQUES SAINT-PIERRE, MONT-LAURIER

«Souvent, j'enfourche mon vélo dès la fin d'avril pour effectuer ce parcours, et je répète l'expérience à maintes reprises jusqu'à ce que je range ma monture pour l'hiver. C'est un trajet empreint d'histoire, paisible et bucolique à souhait... Bienvenue dans les Hautes-Laurentides!»

Laurier, là où se termine la piste cyclable du P'tit Train du Nord. Sur la route, deux ponts couverts, et partout la quiétude des champs, la splendeur des points de vue... Près de Kiamika, les perspectives sont à couper le souffle. On prend son temps, on fait halte à plusieurs reprises, on pose son regard sur l'horizon. La dernière portion du circuit se fait sur une chaussée nouvellement bitumée – un pur bonheur. Les routes empruntées ne sont pas toutes pourvues d'un accotement, mais le débit de trafic est très faible et les rares automobilistes croisés se révèlent très courtois. Cyclistes et automobilistes se saluent d'ailleurs au passage – ici, tout le monde se connaît. En prime, les Hautes-Laurentides sont une région gourmande où on trouve produits de l'érable, miel, fromages...

UNE PAUSE Deux tables de pique-nique sont installées tout près des deux ponts de Ferme-Rouge (km 18,7). Vous pourrez y contempler la statue de Jos Montferrand réalisée par Roger Langevin. La légende raconte que Jos arrachait les souches à la seule force de ses bras...

PETIT PLAISIR

VACHE, BREBIS OU CHÈVRE
Après votre balade, un arrêt s'impose à la **Fromagerie Le P'tit Train du Nord**. Outre le Windigo, le Wabassee et le Curé Labelle, vous apprécierez le Duo du paradis (mi-vache, mi-brebis). On y produit également un cheddar de chèvre frais ou vieilli deux ou quatre ans – de pures délices.

624, boul. Albiny-Paquette
Mont-Laurier
819 623-2250

LA ROSE DES VENTS
709, boul. Des Ruisseaux, Mont-Laurier
819 623-6717
tablechampetrerosedesvents.comxa.com
Cette table champêtre fait la part belle aux produits locaux, et plus spécialement à ceux de la ferme adjacente. L'été, les champignons sauvages cueillis dans la région sont

à l'honneur. Accueil franchement sympathique et vins à prix doux.

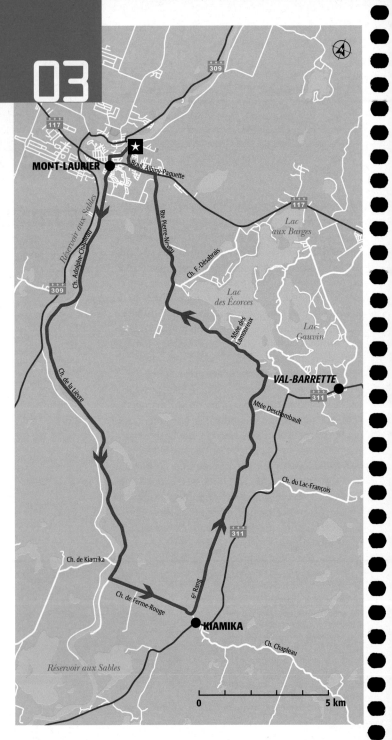

MONT-LAURIER

VAL-BARRETTE

KIAMIKA

JACQUES SAINT-PIERRE
NOUS A DIT...

«Cette maison, dans mon esprit, a toujours été là. Désormais abandonnée, elle a déjà fait office de dépanneur. À l'époque, j'avais sept ans et j'aidais mon père pour ses livraisons de Pepsi. Le propriétaire entreposait alors des peaux de castor. Lorsque je descendais dans l'obscur sous-sol en transportant les caisses de boissons gazeuses, je me heurtais à ces peaux... et que dire de l'odeur qui y régnait!»

LÉGENDE

⊡	Départ et arrivée	⊡	Demi-tour
⟪	Virage à gauche	▮	Ravitaillement
⟫	Virage à droite	🔧	Boutique vélo
⟰	Tout droit	🛏	Hébergement

0,0 km ⊡ Départ de l'ancienne gare. En sortant du stationnement, filez tout droit sur la rue Olivier-Guimond.

0,0 km ▮ Possibilité de ravitaillement à Mont-Laurier même.

0,1 km ⟪ Tournez à gauche sur la rue de la Madone.

0,7 km ⟫ Tournez à droite pour demeurer sur la rue de la Madone.

1,1 km 🔧 Atelier Vélo Famille, 440, rue de la Madone, Mont-Laurier, 819 499-0677.

1,2 km ⟪ Tournez à gauche sur le chemin Adolphe-Chapleau (devient chemin de la Lièvre).

18,7 km ⟪ Tournez à gauche sur le chemin de Ferme-Rouge.

22,0 km ⟰ Continuez tout droit pour rejoindre le 6e Rang.

31,7 km ⟪ Au stop, tournez à gauche sur la route Pierre-Neveu.

41,7 km ⟪ Au stop, tournez à gauche sur la route 117 Nord.

42,7 km ⟫ Tournez à droite sur la rue Hébert.

43,4 km ⟫ Tournez à droite sur la rue Vaudreuil.

43,5 km ⊡ De retour à votre point de départ.

31

03

04

RÉGION
Laurentides

[Brébeuf › La Conception › Huberdeau › Brébeuf]

DISTANCE	NIVEAU	DÉNIVELÉ POSITIF
56,8 km	●●●○○	267 m

S'Y RENDRE

De l'autoroute 15
Nord, qui devient
la route 117 Nord,
sortir à la route
327 Sud. Sur cette
dernière, suivre les
indications
jusqu'au pont
couvert (pont
Prud'homme).

La Rouge
dans tous ses états

En consultant la carte de ce parcours, vous observerez qu'il a été dessiné de telle sorte qu'il longe le plus longtemps possible la belle rivière Rouge. Ce cours d'eau prend sa source au lac de la Fougère, à Lac-Matawin, dans Lanaudière, et coule vers le sud pour se jeter dans la rivière des Outaouais, 161 km plus loin. Sa couleur, et donc son nom, viendrait de l'oxydation du fer présent dans le sol du bouclier canadien, mais on raconte aussi qu'elle pourrait s'expliquer par la présence d'un gisement de craie rouge situé au Grand lac Nominingue, que les tribus algonquines et iroquoises utilisaient pour se peindre la peau. Lors de la crue printanière, la rivière est gonflée à bloc et son débit est important; dès le début de l'été, son niveau baisse radicalement et de belles plages sablonneuses apparaissent ici et là. Après avoir

AU RUISSEAU ENCHANTÉ
105, 7ᵉ Rang, Mont-Tremblant
819 425-7265
auruisseauenchante.com
Ce gîte sis dans un environnement
bucolique, tout près d'un ruisseau,
offre de fort jolies chambres. Accueil
sympa et très bons petits déjeuners.

PARCOURS PROPOSÉ PAR
JEAN-LUC MICHAUD, HARRINGTON

« Je ne me lasse tout simplement pas de ce parcours. J'ai dû l'effectuer une cinquantaine de fois et j'en suis toujours aussi émerveillé. Voir la nature changer au fil des saisons, observer les fluctuations de la Rouge en enfilant une suite de route paisibles, que demander de plus ? »

longuement suivi la Rouge, vous aurez peut-être envie de vous y baigner, car ses eaux sont généralement calmes et paisibles ; sachez qu'il vous est possible de le faire à la toute fin du parcours. Si vous empruntez cet itinéraire à la fin du mois de septembre, alors que les couleurs de l'automne répondent à celle de la rivière, vous pourrez observer des bernaches qui quittent la région pour de meilleurs cieux. Bien que ce parcours s'effectue dans les Laurentides, tout près du mont Tremblant, son dénivelé demeure modeste. Aussi, on emprunte à trois reprises de courts segments de la route 323, qui est passablement achalandée mais bénéficie d'un large accotement.

UNE PAUSE Au km 35,0, sur les rives du lac à la Loutre, vous trouverez une table de pique-nique. Si elle est occupée, poursuivez votre route jusqu'au km 36,8, où sont installées deux tables de pique-nique.

✕ CHEVAL DE JADE
688, rue de Saint-Jovite, Mont-Tremblant
819 425-5233
chevaldejade.com
L'une des bonnes adresses de la région, ce restaurant réputé est très couru : réservez donc à l'avance pour aller y déguster la bouillabaisse méditerranéenne ou le foie gras poêlé à la poire et au porto. Menu varié et table d'hôte.

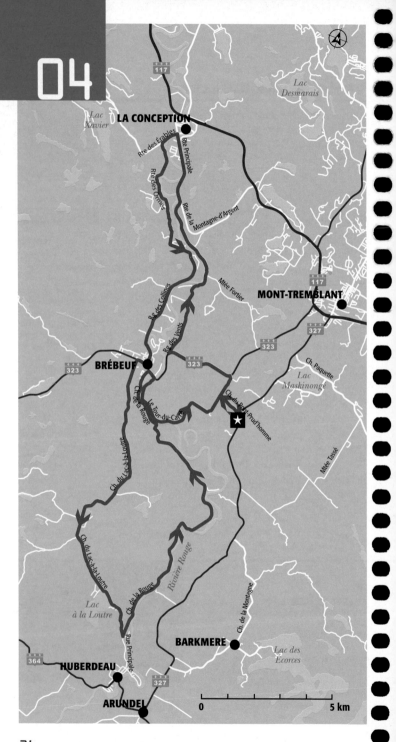

04

LA CONCEPTION

Lac Xavier

Lac Desmarais

Rte des Érables

Rte Principale

Rte des Ormes

Rte de la Montagne-d'Argent

Mtée Fortier

MONT-TREMBLANT

117

Rte des Collines

Rte des Vents

117

327

BRÉBEUF

323

323

Ch. Paquette

Lac Maskinongé

Ch. du Bois-Prud'homme

Ch. de la Rouge

Le Tour-du-Carré

Ch. du Tour

Mtée Tassé

Ch. du Lac-à-la-Loutre

Rivière Rouge

Ch. de la Rouge

Lac à la Loutre

Rue Principale

BARKMERE

Ch. de la Montagne

Lac des Écorces

364

HUBERDEAU

327

ARUNDEL

0   5 km

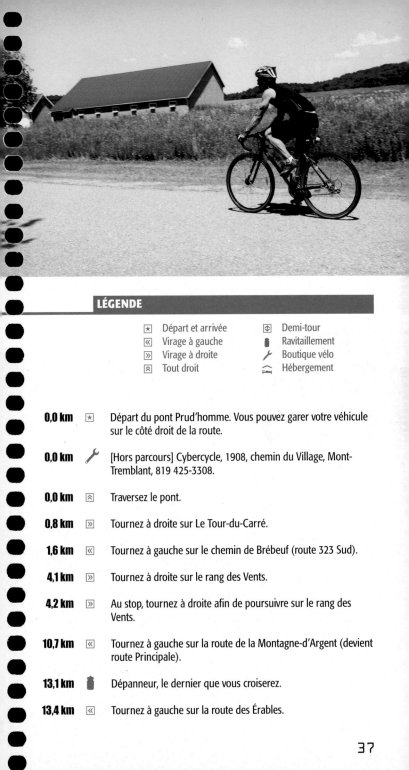

LÉGENDE

⋆	Départ et arrivée	⊕	Demi-tour
≪	Virage à gauche	🔋	Ravitaillement
≫	Virage à droite	🔧	Boutique vélo
⌂	Tout droit	🏠	Hébergement

0,0 km ⋆ Départ du pont Prud'homme. Vous pouvez garer votre véhicule sur le côté droit de la route.

0,0 km 🔧 [Hors parcours] Cybercycle, 1908, chemin du Village, Mont-Tremblant, 819 425-3308.

0,0 km ⌂ Traversez le pont.

0,8 km ≫ Tournez à droite sur Le Tour-du-Carré.

1,6 km ≪ Tournez à gauche sur le chemin de Brébeuf (route 323 Sud).

4,1 km ≫ Tournez à droite sur le rang des Vents.

4,2 km ≫ Au stop, tournez à droite afin de poursuivre sur le rang des Vents.

10,7 km ≪ Tournez à gauche sur la route de la Montagne-d'Argent (devient route Principale).

13,1 km 🔋 Dépanneur, le dernier que vous croiserez.

13,4 km ≪ Tournez à gauche sur la route des Érables.

04

ON NOUS A DIT...

D'abord nommé pont de l'Armistice parce que
la fin de sa construction a coïncidé avec le jour
de la déclaration de la fin de la guerre en 1918, le pont Prud'homme a été rebaptisé en
1957 en l'honneur d'une famille pionnière de Brébeuf. Un des ancêtres de cette célèbre
famille, Alphonse Prud'homme, s'est affairé tout à fait bénévolement, pendant près de
quarante ans, à épandre de la neige sur le pont afin de faciliter le passage des traîneaux.

LÉGENDE

★	Départ et arrivée	⊡	Demi-tour
≪	Virage à gauche	🛢	Ravitaillement
≫	Virage à droite	🔧	Boutique vélo
⩘	Tout droit	🏠	Hébergement

14,0 km ≪ Tournez à gauche sur la route des Ormes (devient rang des Collines).

18,5 km ⩘ Descente abrupte (15 %) : soyez prudent !

24,1 km ≫ Tournez à droite sur la route 323 Sud.

24,5 km ≪ Tournez à gauche sur le rang des Érables (devient chemin du Lac-à-la-Loutre).

36,8 km ≪ Immédiatement après la courte et abrupte descente, tournez à gauche sur le chemin de la Rouge.

50,2 km ≫ Tournez à droite sur la route 323 Nord.

50,6 km ≫ Tournez à droite sur Le Tour-du-Carré.

55,8 km ≫ Tournez à droite sur le chemin du Pont-Prud'homme.

56,8 km ★ De retour à votre point de départ.

[Lachute › Pointe-Fortune › Carillon › Hawkesbury › Brownsburg-Chatham (Greece's Point, Cushing) › Lachute]

DISTANCE	NIVEAU	DÉNIVELÉ POSITIF
70,2 km	●●○○○	179 m

S'Y RENDRE

De l'autoroute 50, prendre la sortie 260. Poursuivre sur la 148 Nord (avenue Bethany). Le départ se fait dans le stationnement du magasin Canadian Tire (505, avenue Bethany).

Argenteuil et incursion ontarienne

D'abord une seigneurie puis un comté, Argenteuil est aujourd'hui une municipalité régionale de comté (MRC) située à un peu plus de trois quarts d'heure de Montréal et à une heure et quart de Gatineau et d'Ottawa. Le territoire se révèle une destination cycliste hors pair : les très beaux paysages sillonnés de chemins peu fréquentés par les automobilistes abondent, le parcours est varié – on ne s'y ennuie pas une seconde.

On commence par enfiler de paisibles chemins en terres agricoles, on emprunte ensuite un traversier pour gagner la province voisine, l'Ontario, où on roule dans le parc provincial Voyageur. Un peu plus loin, on longe la rivière des Outaouais, qu'on traverse par le pont du Long-Sault. Finalement, on s'engage sur une très belle piste cyclable en terre québécoise et on franchit une jolie passerelle récemment aménagée.

À LA CLAIRE FONTAINE
657, rue Sydney, Lachute
450 562-5378
laclairefontaine.ca
Ce gîte loue trois chambres meublées d'antiquités. Les cyclistes peuvent laisser leur vélo dans un grand garage verrouillé. Au petit déjeuner, on offre un choix de quatre menus.

PARCOURS PROPOSÉ PAR
DENIS LEBEL, MONTRÉAL

«Ce parcours, je l'ai soigneusement élaboré pour inciter les membres de notre club à parcourir une plus grande distance tout en gardant un niveau de difficulté plutôt faible.»

Ce circuit est idéal pour les cyclistes qui veulent se frotter à un parcours d'une distance relativement grande sans avoir à affronter de trop grandes difficultés. Ici, pas d'interminables montées ni de descentes vertigineuses. À mi-chemin, on peut prendre une longue pause pour pique-niquer à l'île du Chenail, qui dispose d'un bel espace aménagé sur le bord de l'eau. Si vous n'avez pas envie de trimballer votre goûter, sachez qu'on traverse la municipalité de Hawkesbury, où on peut s'approvisionner juste avant de gagner l'île du Chenail. Pur enchantement!

UNE PAUSE Les possibilités sont nombreuses! Dès le km 10,2, la halte municipale de Saint-André-d'Argenteuil offre quelques tables de pique-nique et des toilettes. Au km 38,0, près du pont du Long-Sault, l'île du Chenail donne un beau point de vue sur la rivière Outaouais; il y a des toilettes et plusieurs tables de pique-nique, dont quelques-unes à l'abri des intempéries.

PETIT PLAISIR

TOUT PROPRE
Outre les savons et les baumes, on trouve chez **Terra Madre Arts et Jardin** une poudre rafraîchissante, la Brise d'été, qui peut également servir à combattre les acariens qui squattent nos lits.

176, rte du Long-Sault
Saint-André-d'Argenteuil
450 537-1742

RESTAURANT LE 16
383, rue Principale, Lachute
450 562-2400
restaurantle16.com
Ce restaurant propose une grande variété de raclettes (bœuf, poulet, saumon, crevettes, pétoncles, thon, viandes sauvages) et plusieurs plats de poisson, pâtes, viandes et grillades qu'on peut accompagner d'une des nombreuses bières importées. Réservation conseillée.

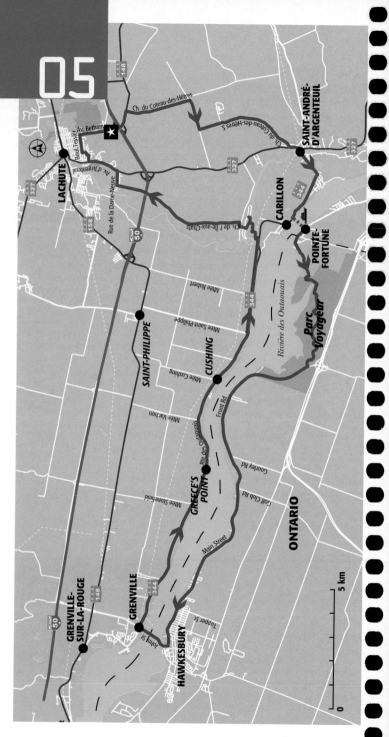

05

SAINT-ANDRÉ-
D'ARGENTEUIL

Ch. du Coteau-des-Hêtres

Ch. du Coteau-des-Hêtres S.

148

LACHUTE

Av. Bethany

Boul Tessier

Av. d'Argenteuil

Rue de la Dame-Neuve

327

158

50

327

327

CARILLON

POINTE-
FORTUNE

344

Ch. de l'Île-aux-Chats

Mtée Robert

SAINT-PHILIPPE

Mtée Saint-Philippe

344

Rivière des Outaouais

Parc
Voyageur

CUSHING

Mtée Cushing

Mtée Vachon

Front Rd

Courvir Rd

Golf Club Rd

ONTARIO

Rte des Outaouais

GREECE'S
POINT

Mtée Stonefield

Main Street

GRENVILLE-
SUR-LA-ROUGE

148

50

GRENVILLE

344

John St

Tupper St

HAWKESBURY

5 km

0

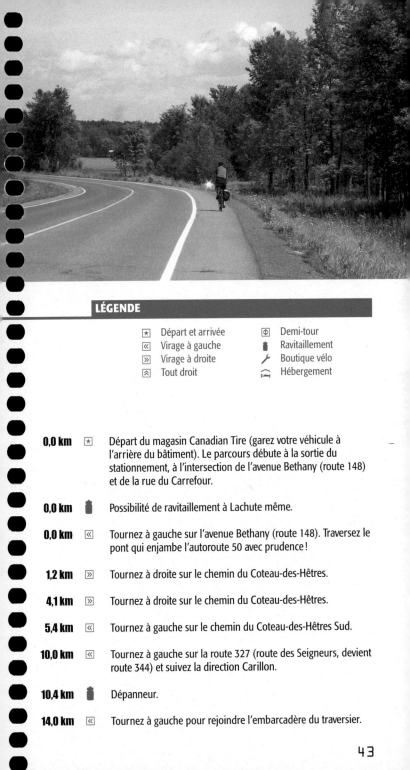

LÉGENDE

⋆	Départ et arrivée	⊕	Demi-tour
≪	Virage à gauche	🕯	Ravitaillement
≫	Virage à droite	🔧	Boutique vélo
⌃	Tout droit	⌂	Hébergement

0,0 km ⋆ Départ du magasin Canadian Tire (garez votre véhicule à l'arrière du bâtiment). Le parcours débute à la sortie du stationnement, à l'intersection de l'avenue Bethany (route 148) et de la rue du Carrefour.

0,0 km 🕯 Possibilité de ravitaillement à Lachute même.

0,0 km ≪ Tournez à gauche sur l'avenue Bethany (route 148). Traversez le pont qui enjambe l'autoroute 50 avec prudence !

1,2 km ≫ Tournez à droite sur le chemin du Coteau-des-Hêtres.

4,1 km ≫ Tournez à droite sur le chemin du Coteau-des-Hêtres.

5,4 km ≪ Tournez à gauche sur le chemin du Coteau-des-Hêtres Sud.

10,0 km ≪ Tournez à gauche sur la route 327 (route des Seigneurs, devient route 344) et suivez la direction Carillon.

10,4 km 🕯 Dépanneur.

14,0 km ≪ Tournez à gauche pour rejoindre l'embarcadère du traversier.

05

ON NOUS A DIT...

La passerelle d'Argenteuil s'étale sur environ 65 m, reliant le village de Carillon au hameau L'Île-aux-Chats. La croyance populaire veut que la présence sur cette petite île de nombreux ratons laveurs (alors appelés chats sauvages) soit à l'origine de son nom, mais ce serait plutôt en référence à la nation amérindienne du Chat, établie plus en amont, sur la rivière des Outaouais.

LÉGENDE

★	Départ et arrivée	⊕	Demi-tour
≪	Virage à gauche	🔋	Ravitaillement
≫	Virage à droite	🔧	Boutique vélo
≋	Tout droit	⌂	Hébergement

14,1 km ≋ Prenez le traversier de Carillon, direction Pointe-Fortune (2 $). En opération de 6 h à minuit (de la fin d'avril à décembre).

14,1 km ≫ À la descente du traversier, tournez à droite sur le chemin des Outaouais.

15,1 km ≫ Bienvenue en Ontario. Dans la courbe menant au barrage, prenez le chemin de gravier, vers l'entrée du parc Voyageur.

15,8 km ≋ Passez la barrière de métal rouge.

16,5 km ≫ Voici la fin du chemin de terre. Vous êtes au parc Voyageur. Tournez à droite et suivez les indications exit/sortie, jusqu'au km 21,6.

18,6 km ≋ Envie d'une baignade? Tournez à droite, une jolie plage se trouve à 1 km. Sinon, continuez tout droit. Notez que les indications kilométriques qui suivent ne tiennent pas compte de votre détour vers la plage.

21,6 km ≫ À la sortie du parc Voyageur, tournez à droite sur la route 4 (devient Front Road, puis Main Street).

37,7 km ≫ Tournez à droite sur John Street pour traverser le pont du Long-Sault.

38,3 km ≫ Juste avant d'enjamber la rivière des Outaouais se trouve, à droite, sur l'île du Chenail, un bel espace pour une pause.

45

⋆	Départ et arrivée	⟳	Demi-tour
≪	Virage à gauche	🍶	Ravitaillement
≫	Virage à droite	🔧	Boutique vélo
⌃	Tout droit	⌂	Hébergement

39,3 km ≫ Tournez à droite sur la route 344 Est (devient route des Outaouais).

52,5 km 🍶 Au camping municipal de Brownsburg-Chatham, certifié Bienvenue cyclistes!, vous pouvez remplir votre bidon et utiliser les toilettes.

53,4 km ≪ Tournez à gauche sur la montée Saint-Philippe. Tout de suite après, sur votre droite, prenez la piste cyclable (comment résister, elle est si jolie!).

57,5 km ≪ Suivez les indications pour Lachute.

58,7 km ≪ Après avoir franchi la passerelle, tournez à gauche sur la rue du Tour-de-l'Île.

59,1 km ≫ Tournez à droite sur la rue du Pont. Aucun panneau n'indiquait le nom de la rue au moment de la rédaction de ce guide.

59,5 km ≪ Tournez à gauche sur le chemin de l'Île-aux-Chats.

65,4 km ≫ Tournez à droite sur la rue de la Dame-Neuve.

66,1 km ≪ Tournez à gauche sur l'avenue d'Argenteuil (route 327).

67,4 km ≫ Tournez à droite sur la rue Kenny.

67,7 km ≪ Tournez à gauche sur la rue Daniel.

68,1 km ≫ Tournez à droite sur le boulevard Tessier.

68,8 km ≫ Tournez à droite sur l'avenue Bethany (route 148 Est).

68,8 km 🔧 L'Atelier du Sport, 292, avenue Bethany, Lachute, 450 562-7236.

70,2 km ⋆ De retour à votre point de départ.

RÉGION
Laurentides

[Morin-Heights › Wentworth-Nord › Harrington (Lost River, Lakeview) › Lac-des-Seize-Îles › Morin-Heights]

DISTANCE	NIVEAU	DÉNIVELÉ POSITIF
78,7 km	●●●●●	**634 m**

S'Y RENDRE

De l'autoroute 15, prendre la sortie 60. Rejoindre la route 364 Ouest, tourner à gauche sur le chemin du Village (route 329 Sud), puis à gauche sur le chemin du Lac-Écho. Stationnement disponible au parc du Corridor aérobique, à l'intersection du chemin du Lac-Écho et de la rue Rockcliff.

Le défi des Laurentides

Avec ses trois montées dont les légendaires Sainte-Marie et Weir, ce circuit est proposé dans sa version très difficile. Effectué dans l'autre sens, il demeure difficile et exige de bonnes habiletés en descente. Mis à part une vingtaine de kilomètres, ce parcours offre peu de répit à vos mollets, une bonne montée se présentant dès le premier kilomètre. Au km 9,1, on attaque la montée Sainte-Marie, longue d'environ 2 km ; cette ascension est un pur bonheur puisque la route est très peu passante. L'itinéraire se poursuit dans une suite de petites montées et descentes sur la route Principale et le chemin de la Rivière-Perdue, également très paisibles. Toutes les possibilités de ravitaillement sont répertoriées ci-dessous, mais il est recommandé de partir avec au moins deux bidons bien remplis. Si le cœur vous en dit, au km 50,1, avant

Les établissements certifiés Bienvenue cyclistes ! sont répertoriés à routeverte.com/bienvenuecyclistes.

«Les beaux parcours cyclistes pullulent dans la région des Laurentides. Voici un de mes favoris. Avant de partir, je suis toujours confronté au même cruel dilemme : dans quel sens vais-je l'accomplir ?... »

d'affronter la montée vers Weir, faites une visite à la ferme Morgan et goûtez à ses bons produits de boulangerie bio (voir texte à droite). Rassasié, vous pourrez attaquer les trente derniers kilomètres, qui s'effectuent sur la route 364. Passablement plus achalandée que les routes empruntées précédemment, celle-ci est toutefois dotée d'un accotement et très fréquentée par les cyclistes de la région. Au passage, ces derniers ne se contentent pas de hocher la tête pour saluer, mais décochent un beau sourire et lancent un joyeux «Allez, courage ! ». On en revient comblé, une seule idée en tête : y revenir. Et pourquoi pas dès le lendemain? La région offre une multitude de possibilités d'hébergement !

UNE PAUSE Au km 50,0, si l'envie de faire une pause vous assaille ou si vous avez un urgent besoin de vous mettre à l'abri, au lieu de tourner sur la montée de Montcalm, poursuivez 100 m sur la route 327. Vous y trouverez une table de pique-nique abritée par un kiosque.

PETIT PLAISIR

POUR CARNIVORES BIO
Sur le parcours, au km 50,1, un panneau indique la **ferme Morgan**. Ce petit détour vaut le coup. Vous pouvez effectuer une visite de cette grande ferme bio et acheter sur place de nombreux produits dont du canard de Barbarie, de l'agneau et de la pintade, mais aussi de délicieux pains.

90, ch. Morgan
Montcalm (Weir)
819 687-2434
fermemorgan.com

L'HÉRITAGE
11, rue Baker, Morin-Heights
450 226-2218
www.lheritage.com
Établi à 500 m à peine du lieu de départ, ce resto sert des plats suisses, français et canadiens préparés devant vous sur feu de bois. L'accent est mis sur les produits du terroir. Belle terrasse avec pergola. Loue aussi trois chambres.

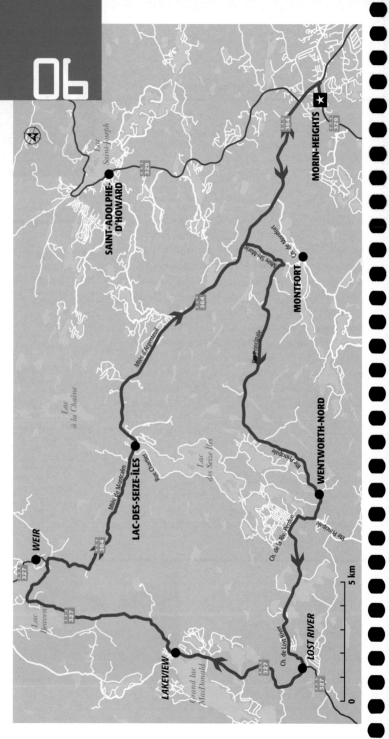

SAINT-ADOLPHE-D'HOWARD

Lac Saint-Joseph

329

MORIN-HEIGHTS

329

364

Mtée Ste-Marie

Ch. de Montfort

MONTFORT

364

Mtée d'Argenteuil

Lac à la Chaîne

Rte Principale

Mtée de Montcalm

Rue Charron

Lac des Seize Îles

WENTWORTH-NORD

LAC-DES-SEIZE-ÎLES

Rte Principale

WEIR

327

364

Rte Principale

Ch. de la Rte-Perdue

327

Lac Beaven

327

Ch. de Lost River

LOST RIVER

LAKEVIEW

Grand lac MacDonald

327

5 km

0

06

50

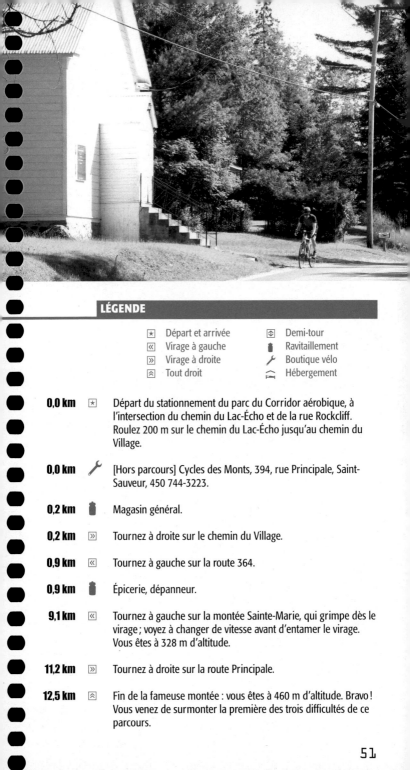

LÉGENDE

⋆	Départ et arrivée	⊕	Demi-tour
≪	Virage à gauche	🍶	Ravitaillement
≫	Virage à droite	🔧	Boutique vélo
⋀	Tout droit	🏠	Hébergement

0,0 km ⋆ Départ du stationnement du parc du Corridor aérobique, à l'intersection du chemin du Lac-Écho et de la rue Rockcliff. Roulez 200 m sur le chemin du Lac-Écho jusqu'au chemin du Village.

0,0 km 🔧 [Hors parcours] Cycles des Monts, 394, rue Principale, Saint-Sauveur, 450 744-3223.

0,2 km 🍶 Magasin général.

0,2 km ≫ Tournez à droite sur le chemin du Village.

0,9 km ≪ Tournez à gauche sur la route 364.

0,9 km 🍶 Épicerie, dépanneur.

9,1 km ≪ Tournez à gauche sur la montée Sainte-Marie, qui grimpe dès le virage ; voyez à changer de vitesse avant d'entamer le virage. Vous êtes à 328 m d'altitude.

11,2 km ≫ Tournez à droite sur la route Principale.

12,5 km ⋀ Fin de la fameuse montée : vous êtes à 460 m d'altitude. Bravo ! Vous venez de surmonter la première des trois difficultés de ce parcours.

MICHEL BÉLANGER
NOUS A DIT...

«Ce parcours en boucle peut être amputé d'une
de ses difficultés majeures en faisant demi-tour
à l'approche de la fameuse montée de Weir. Si on n'est pas "en jambes", on Weir de
bord!»

LÉGENDE

★	Départ et arrivée	⊕	Demi-tour
≪	Virage à gauche	🔋	Ravitaillement
≫	Virage à droite	🔧	Boutique vélo
⌃	Tout droit	🏠	Hébergement

23,6 km 🔋 Dépanneur.

24,8 km ≫ Tournez à droite sur le chemin de la Rivière-Perdue, qui
deviendra éventuellement – concentration de résidents
anglophones oblige – chemin de Lost River!

26,4 km ≪ Tournez légèrement à gauche afin de demeurer sur le chemin
de la Rivière-Perdue.

33,1 km 🔋 Épicerie.

33,1 km ≫ Tournez à droite sur la route 327. Vous avez devant vous 17 km
de répit pour vos mollets avant d'affronter les deux dernières
côtes de la journée. Ce tronçon de la 327 est peu achalandé, en
revanche son accotement est étroit. Si vous roulez en groupe,
formez une file indienne.

50,1 km ≫ Tournez à droite sur la montée de Montcalm (route 364). Vous
entamez ce qu'on appelle communément la montée de Weir.

58,2 km 🔋 Épicerie, et deux restaurants ouverts en saison.

58,2 km ⌃ Vous attaquez la dernière montée de la journée. Courage!

77,8 km ≫ Tournez à droite sur le chemin du Village (route 329 Sud).

78,5 km ≪ Tournez à gauche sur le chemin du Lac-Écho.

78,7 km ★ De retour à votre point de départ.

07

RÉGION
Laurentides

[Sainte-Adèle (Mont-Rolland) › Morin-Heights › Piedmont ›
Sainte-Adèle (Mont-Rolland)]

DISTANCE	NIVEAU	DÉNIVELÉ POSITIF
58,4 km	●●●●○	**534 m**

S'Y RENDRE

De l'autoroute 15,
prendre la sortie 67
et rejoindre le
boulevard de
Sainte-Adèle
(route 117 Nord).
Tourner à droite
sur la rue Saint-
Joseph, puis à
gauche sur la rue
Rolland, puis
prendre la
première à droite,
rue Saint-Georges.
Stationnement
disponible devant
l'ancienne gare
reconvertie.

Le parcours
des six monts

Et quels sont ces six monts? Gabriel, Morin-
Heights, Habitant, Saint-Sauveur, Avila et Olympia.
On effleure cinq d'entre eux et on se mesure au
mont Olympia. Ce qu'il y a de véritablement réjouissant dans ce parcours, c'est que mis à part de
courts tronçons, on roule sur de belles routes de
campagne paisibles dont plusieurs cyclistes igno-
rent l'existence – ce qui est étonnant vu la densité
de population dans la vallée de Saint-Sauveur.
N'empêche, cet itinéraire est fréquenté tant par
des mordus de la vitesse qui l'ont adopté comme
terrain d'entraînement que par des cyclistes plus
ludiques et admiratifs qui y trouvent un circuit
convivial comportant une part de défi – car,
Laurentides obligent, le trajet est montagneux et
assez exigeant. En revanche, son kilométrage étant
plutôt modeste, il peut être roulé en début de sai-

AUBERGE DU P'TIT TRAIN DU NORD
3065, rue Rolland, Sainte-Adèle
450 229-2225
petit-train-du-nord.com
Située en face du point de départ,
cette auberge propose dix-huit
chambres confortables avec salle de
bain privée.

Les établissements certifiés Bienvenue cyclistes! sont répertoriés à routeverte.com/bienvenuecyclistes.

PARCOURS PROPOSÉ PAR
Luc Baril, Sainte-Adèle

«C'est un de mes parcours favoris. Moins de 60 km, avec quelques bonnes montées. Et le bitume est de bonne qualité.»

son lorsque la forme est moins au rendez-vous. Et bien sûr, on y revient en automne quand les couleurs sont à leur paroxysme.

Les points de départ et d'arrivée se situent en face de l'ancienne gare de Mont-Rolland, réaménagée en café/vélociste (voir ci-dessous). Pratique! Le ravitaillement ne pose aucun problème, comme vous le noterez dans le parcours détaillé. Pour étirer le plaisir, de nombreuses options d'hébergement s'offrent à vous dans les environs, dont plusieurs certifiées Bienvenue cyclistes!

UNE PAUSE On ne croise sur l'itinéraire ni halte municipale ni aire de pique-nique aménagée. On peut en revanche s'arrêter à un des lieux de ravitaillement proposés dans la description du parcours.

PETIT PLAISIR

POUR UNE BONNE BIÈRE
Le **Marché Vaillancourt**, un magasin général, a su résister à l'ouverture d'un immense IGA à quelques pas. Véritable institution, ce marché mérite un arrêt si vous êtes amateur de bières : le choix est impressionnant, et les microbrasseries québécoises sont à l'honneur.

878, ch. du Village
Morin-Heights
450 226-2215

✗
CAFÉ DE LA GARE
1000, rue Saint-Georges, Sainte-Adèle
450 229-5886
espressosports.net

Judicieusement situé au km 0, ce charmant café offre une grande variété de croque-monsieur – dont le croque-vélo! – et de bons sandwichs inusités. Sur la jolie terrasse, vous pourrez, à la fin de votre périple montagneux, vous récompenser avec une des bières de microbrasserie.

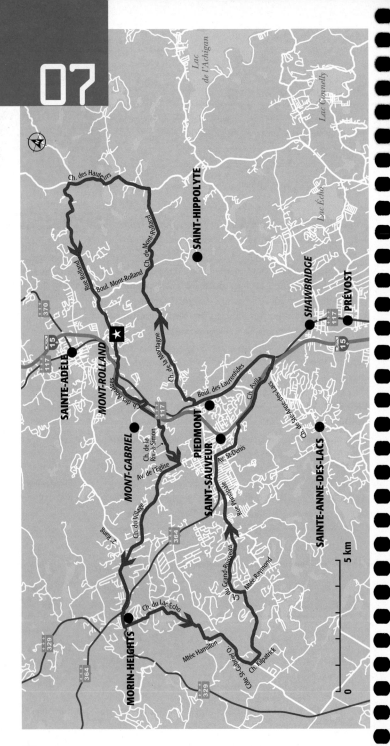

SAINT-HIPPOLYTE

Lac de l'Achigan

Lac Connelly

Lac Écho

SHAWBRIDGE

PRÉVOST

Ch. des Hauteurs

Ch. de Mont-Rolland

Rue Rolland

Boul. Mont-Rolland

SAINTE-ADÈLE

MONT-ROLLAND

Ch. de la Montagne

Ch. des Hauteurs

Boul. des Laurentides

Ch. Avila

Ch. de Ste-Anne-des-Lacs

Ch. de la Riv.-à-Simon

Av. de l'Église

MONT-GABRIEL

PIEDMONT

SAINT-SAUVEUR

Av. St-Denis

Rue Principale

SAINTE-ANNE-DES-LACS

Ch. du Village

Boul.-Ste-Adèle

Mtée Raymond

Av. Grand-Ruisseau

Ch. du Lac-Écho

MORIN-HEIGHTS

Mtée Hamilton

Ch. St-Gabriel

Ch. Kilpatrick

5 km

0

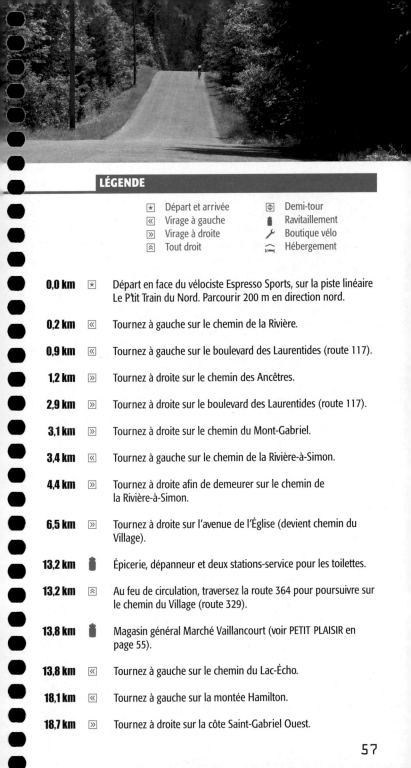

LÉGENDE

⋆	Départ et arrivée	⬦	Demi-tour
≪	Virage à gauche	🝙	Ravitaillement
≫	Virage à droite	🔧	Boutique vélo
⌂	Tout droit	⌂	Hébergement

0,0 km   ⋆   Départ en face du vélociste Espresso Sports, sur la piste linéaire Le P'tit Train du Nord. Parcourir 200 m en direction nord.

0,2 km   ≪   Tournez à gauche sur le chemin de la Rivière.

0,9 km   ≪   Tournez à gauche sur le boulevard des Laurentides (route 117).

1,2 km   ≫   Tournez à droite sur le chemin des Ancêtres.

2,9 km   ≫   Tournez à droite sur le boulevard des Laurentides (route 117).

3,1 km   ≫   Tournez à droite sur le chemin du Mont-Gabriel.

3,4 km   ≪   Tournez à gauche sur le chemin de la Rivière-à-Simon.

4,4 km   ≫   Tournez à droite afin de demeurer sur le chemin de la Rivière-à-Simon.

6,5 km   ≫   Tournez à droite sur l'avenue de l'Église (devient chemin du Village).

13,2 km   🝙   Épicerie, dépanneur et deux stations-service pour les toilettes.

13,2 km   ⌂   Au feu de circulation, traversez la route 364 pour poursuivre sur le chemin du Village (route 329).

13,8 km   🝙   Magasin général Marché Vaillancourt (voir PETIT PLAISIR en page 55).

13,8 km   ≪   Tournez à gauche sur le chemin du Lac-Écho.

18,1 km   ≪   Tournez à gauche sur la montée Hamilton.

18,7 km   ≫   Tournez à droite sur la côte Saint-Gabriel Ouest.

07

LUC BARIL
NOUS A DIT...

«Dans les Laurentides, le meilleur moyen de savoir
si une montée est de plus de 14% est d'observer
s'il y a des coulées de béton au milieu de la chaussée. En effet, les camions malaxeurs, lorsqu'ils
sont chargés à bloc, perdent un peu de leur contenu quand c'est trop pentu.»

LÉGENDE

⋆	Départ et arrivée	⊡	Demi-tour
≪	Virage à gauche	🔋	Ravitaillement
≫	Virage à droite	🔧	Boutique vélo
⌂	Tout droit	🛏	Hébergement

20,5 km ≪ Tournez à gauche sur le chemin Kilpatrick.

23,7 km ≪ Tournez à gauche sur le chemin du Grand-Ruisseau (devient rue Principale).

28,8 km ≫ Tournez légèrement vers la droite pour accéder au chemin Jean-Adam (route 364).

29,6 km ≫ Tournez à droite sur l'avenue Saint-Denis.

31,3 km ≫ Tournez à droite sur le chemin Avila.

34,0 km ≪ Tournez à gauche sur le chemin de Sainte-Anne-des-Lacs.

34,5 km ≪ Tournez à gauche sur le boulevard des Laurentides (route 117).

38,2 km ≫ Tournez à droite sur le chemin de la Gare (devient chemin de la Montagne, puis chemin de Mont-Rolland).

39,0 km 🔋 Dépanneur.

47,7 km 🔋 Source Héon. On y remplit son bidon et on dépose une pièce dans la petite boîte pour contribuer aux frais d'analyses qui sont effectuées toutes les deux semaines.

49,2 km ≪ Tournez à gauche sur le chemin des Hauteurs.

49,2 km ≪ Tournez à gauche afin de demeurer sur le chemin des Hauteurs.

51,3 km ≪ Tournez à gauche sur la rue Rolland.

58,4 km ⋆ De retour à votre point de départ.

RÉGION
Montérégie

[Ormstown › Hinchinbrooke (Rockburn, Powerscourt) › Huntingdon › Ormstown]

DISTANCE	NIVEAU	DÉNIVELÉ POSITIF
84,3 km	●●○○○	197 m

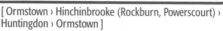

S'Y RENDRE

Suivre la route 138 jusqu'à Huntingdon. Virer à droite sur le rang du Quarante et poursuivre jusqu'au stationnement du lieu historique national de la Bataille-de-la-Châteauguay, situé sur la gauche.

La sportive et la champêtre

Il existe des secrets bien gardés à deux pas des grandes villes. À une soixantaine de kilomètres au sud-ouest de Montréal, ce parcours sillonne de petites routes en bon état et surtout très peu fréquentées. En lisant les nom des villages traversés, on peut se figurer avoir franchi une frontière : Ormstown, Rockburn, Powerscourt, Hinchinbrooke, Huntingdon... Pourtant, on est bien au Québec, même si le drapeau à feuille d'érable flotte plus souvent au haut des mâts que celui à fleur de lys.

Ce parcours peut se décliner en deux types de sorties. La sortie sportive consiste à convier ses amis rouleurs à une équipée endiablée en peloton. La qualité du revêtement et la tranquillité des routes permettent de rouler de concert en se relançant, et il est très facile de rallonger ou raccourcir le parcours suivant l'énergie du groupe. Ce trajet est idéal pour un début de saison : seul le

GÎTE AU PETIT RUISSEAU
2278, rte 202 Ouest, Franklin
450 827-2178
aupetitruisseau.com
Situé au cœur d'un verger et d'une érablière, dans le hameau de Franklin Centre, le gîte Au Petit Ruisseau offre trois chambres et une bonne table avec des produits maison. Un endroit parfait pour commencer ou terminer une journée de vélo.

Les établissements certifiés Bienvenue cyclistes ! sont répertoriés à routeverte.com/bienvenuecyclistes.

PARCOURS PROPOSÉ PAR
GILLES LABRE, SAINT-CONSTANT

«J'adore le bord de la rivière sur le chemin d'Athelstan, avant Huntingdon, la passe en S sur le pont de bois, les quelques maisons fleuries. J'aime surtout les tronçons ombragés quand il fait chaud et le peu de voiture sur ce parcours, peu importe la période de l'année.»

faux plat de la montée de Rockburn viendra calmer les ardeurs. L'alternative est une sortie champêtre. L'agriculture occupant une place prépondérante dans la région, on roule sur des routes bordées de champs de maïs et de soya, mais aussi d'élevages, de vergers et d'érablières. De temps en temps, on croise des maisons de pierre, des fermes centenaires, des églises. Ce patrimoine bâti bien conservé et toujours fleuri est la marque de la présence anglaise dans ce coin de pays. Fil conducteur du parcours, la rivière Châteauguay serpente tranquillement au gré du relief, apportant une fraîcheur que vient compléter l'ombrage de quelques grands arbres.

UNE PAUSE Le pont de Powerscourt (km 42,0) est un charmant endroit où faire halte. Ce pont couvert, le plus vieux encore en utilisation sur le territoire québécois, a été construit en 1861. C'est le dernier pont de ce type existant dans le monde.

✕
BRASSERIE SAINT-ANTOINE-ABBÉ
3299, rte 209, Franklin
450 826-4609
brasserie-saint-antoine-abbe.com
Cette jolie brasserie du village de Saint-Antoine-Abbé produit des bières blondes, rousses, blanches et d'épinette, mais aussi un hydromel, le Mustier Gerzer. On peut également manger sur place.

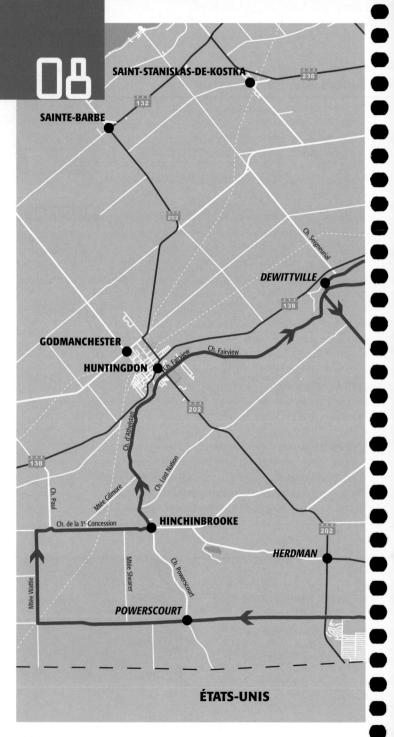

SAINT-STANISLAS-DE-KOSTKA

236

132

SAINTE-BARBE

202

Ch. Seigneurial

DEWITTVILLE

138

GODMANCHESTER

Ch. Fairview

Ch. Fairview

HUNTINGDON

Ch. d'Athelstan

202

138

Ch. Lost Nation

Ch. Paul

Mtée Gilmore

Ch. de la 3ᵉ-Concession

HINCHINBROOKE

202

HERDMAN

Mtée Shearer

Ch. Powerscourt

Mtée Wattie

POWERSCOURT

ÉTATS-UNIS

08

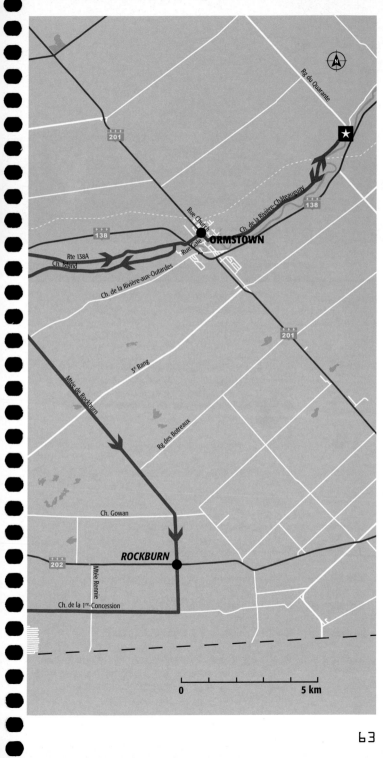

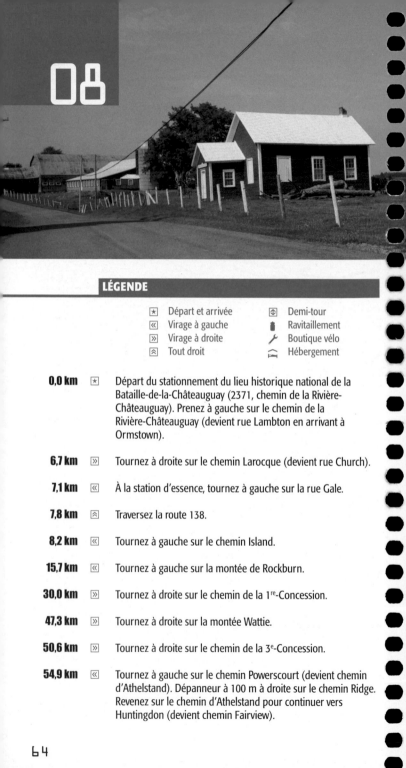

LÉGENDE

★	Départ et arrivée	⊕	Demi-tour
≪	Virage à gauche	🛢	Ravitaillement
≫	Virage à droite	🔧	Boutique vélo
⌃	Tout droit	🛏	Hébergement

0,0 km ★ Départ du stationnement du lieu historique national de la Bataille-de-la-Châteauguay (2371, chemin de la Rivière-Châteauguay). Prenez à gauche sur le chemin de la Rivière-Châteauguay (devient rue Lambton en arrivant à Ormstown).

6,7 km ≫ Tournez à droite sur le chemin Larocque (devient rue Church).

7,1 km ≪ À la station d'essence, tournez à gauche sur la rue Gale.

7,8 km ⌃ Traversez la route 138.

8,2 km ≪ Tournez à gauche sur le chemin Island.

15,7 km ≪ Tournez à gauche sur la montée de Rockburn.

30,0 km ≫ Tournez à droite sur le chemin de la 1re-Concession.

47,3 km ≫ Tournez à droite sur la montée Wattie.

50,6 km ≫ Tournez à droite sur le chemin de la 3e-Concession.

54,9 km ≪ Tournez à gauche sur le chemin Powerscourt (devient chemin d'Athelstand). Dépanneur à 100 m à droite sur le chemin Ridge. Revenez sur le chemin d'Athelstand pour continuer vers Huntingdon (devient chemin Fairview).

ON NOUS A DIT...

«Méfiez-vous des créatures qui semblent à première vue inoffensives! Sur le chemin Fairview, nous avons croisé une tortue un peu plus grosse qu'un frisbee. Quand nous avons voulu la déplacer afin qu'elle ne se fasse pas écraser, elle s'est mise à cracher et à sauter. Heureusement, un automobiliste est venu à notre rescousse en la poussant délicatement sur le côté avec un bâton.»

68,7 km	⌾	Prenez à gauche pour traverser la rivière sur le petit pont (chemin du pont de Dewittville).
68,9 km	⌾	Tournez à droite sur la route 138A.
76,6 km	⌾	À Ormstown, traversez la route 138 pour rejoindre la rue Gale.
77,3 km	⌾	Tournez à droite sur la rue Church.
77,6 km	⌾	Tournez à gauche sur la rue Lambton (devient chemin de la Rivière-Châteauguay).
84,3 km	⌾	De retour à votre point de départ.

09

RÉGION
Lanaudière

[Saint-Alphonse-Rodriguez › Sainte-Émélie-de-l'Énergie › Saint-Jean-de-Matha › Sainte-Béatrix › Saint-Alphonse-Rodriguez]

DISTANCE	NIVEAU	DÉNIVELÉ POSITIF
64,8 km	●●●●○	461 m

S'Y RENDRE

De l'autoroute 25 Nord, qui devient la route 125 Nord, prendre la route 337 Nord en direction de Rawdon. Continuer sur la 337 Nord jusqu'à la jonction de la route 343 Nord qu'il faut prendre jusqu'à Saint-Alphonse-Rodriguez. Dans le village, tourner à droite sur la rue de la Plage, puis tout de suite à gauche sur la rue Notre-Dame. Le départ s'effectue à l'église de Saint-Alphonse-Rodriguez, située au 960.

Entre vallée et montagnes

Imaginez le paysage. Vous êtes au cœur d'une vallée. Droit devant vous, au loin, une montagne boisée. Sur votre droite, les collines et les champs sont à perte de vue, quelques bottes de paille ponctuant de points jaunes le vert des cultures. Le sillon sombre de la route suit le relief tout en courbes. Dans un virage, une ferme avec son silo ajoute une touche de couleurs pastel. Pas une voiture en vue, juste le bruit de vos roues de vélo sur le bitume. Il est rare qu'une vallée permette de laisser voguer son regard aussi loin sans qu'il ne rencontre d'obstacle. Ce parcours lanaudois se dessine dans des paysages si enchanteurs qu'il vaut la peine de mettre pied à terre pour prendre le temps d'embrasser le panorama complet. Toutefois, voir ces paysages se mérite, car il n'y a pas grand-chose de plat dans ce parcours.

CHALETS D'ÉMÉLIE
521, rue du Lac-Pierre Nord
Saint-Alphonse-Rodriguez
450 883-1550 / 1 866 683-1550
chalets-emelie.com
Sur un domaine de 80 hectares en face du lac Pierre, les six chalets peuvent accueillir jusqu'à six personnes. Aux alentours, des sentiers pour faire de la randonnée, du vélo de montagne et du ski de fond.

Les établissements certifiés Bienvenue cyclistes ! sont répertoriés à routeverte.com/bienvenuecyclistes.

Louis Yves LeBEAU, Saint-Alphonse-Rodriguez

« C'est un parcours d'une soixantaine de kilomètres, très diversifié, avec de beaux paysages : la rivière L'Assomption, une vallée agricole, des forêts dans l'arrière-pays et un peu de montagnes. Ça donne un bel aperçu de la région. »

Heureusement, à mi-chemin, la pause baignade-sandwich sur la plage de Sainte-Émélie-de-l'Énergie permet de refaire le plein... d'énergie ! Il en faudra, ne serait-ce que pour grimper jusqu'au belvédère du village afin de contempler, là encore, un magnifique point de vue. Vers le nord, on voit les sommets des Hautes-Laurentides qui chatouillent les 800 m de dénivelé. Vers le sud, ce sont les Basses-Laurentides ou le piémont, avec des collines plus modestes, aux alentours de 300 ou 400 m. Plus loin, juste avant d'entamer la descente vers Saint-Jean-de-Matha, il faut une autre fois faire halte : on y a sur le village et son clocher une vue imprenable qui pourrait tout à fait illustrer une page couverture de *Vélo Mag*...

UNE PAUSE On peut à la fois se baigner et pique-niquer à Sainte-Émélie-de-l'Énergie, sur la très agréable petite plage bordant la rivière Noire. Comme cette halte se fait à peu près au milieu du parcours, voilà qui est parfait pour finir en force.

PETIT PLAISIR

GOÛT DE MIEL
On aurait envie de garder le secret pour soi, tant les beignets au miel de la **Boulangerie de Sainte-Béatrix** sont divins. Mais non, au contraire, il faut répandre la nouvelle ! Comme la boutique est située à la fin du parcours, ne vous privez pas : vous avez besoin de carburant...

983, rue de l'Église
Sainte-Béatrix
450 883-6123

MAISON STANER
856, rte 343
Saint-Alphonse-Rodriguez
450 883-5544
maisonstaner.ca

La maison Staner est installée dans Lanaudière depuis trente ans. On y trouve charcuterie et boucherie de qualité, mais également pains et pâtisseries, sans oublier les produits locaux. Ah oui, on y cuisine aussi des plats à emporter !

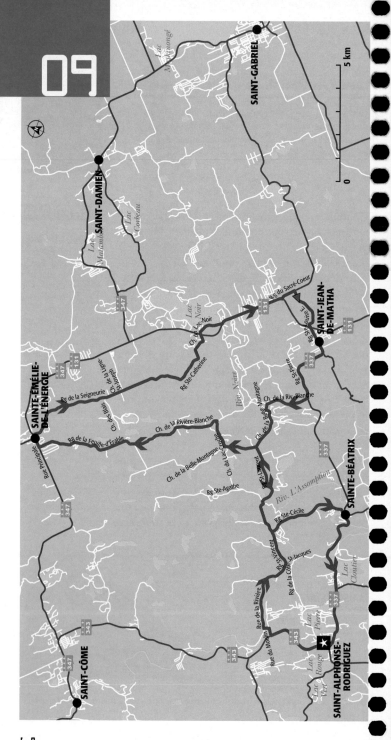

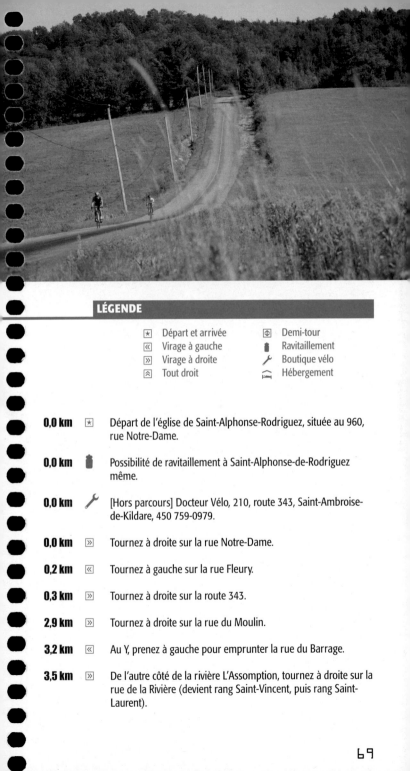

LÉGENDE

✦	Départ et arrivée	⊕	Demi-tour
≪	Virage à gauche	🧴	Ravitaillement
≫	Virage à droite	🔧	Boutique vélo
⬿	Tout droit	🏠	Hébergement

0,0 km ✦ Départ de l'église de Saint-Alphonse-Rodriguez, située au 960, rue Notre-Dame.

0,0 km 🧴 Possibilité de ravitaillement à Saint-Alphonse-de-Rodriguez même.

0,0 km 🔧 [Hors parcours] Docteur Vélo, 210, route 343, Saint-Ambroise-de-Kildare, 450 759-0979.

0,0 km ≫ Tournez à droite sur la rue Notre-Dame.

0,2 km ≪ Tournez à gauche sur la rue Fleury.

0,3 km ≫ Tournez à droite sur la route 343.

2,9 km ≫ Tournez à droite sur la rue du Moulin.

3,2 km ≪ Au Y, prenez à gauche pour emprunter la rue du Barrage.

3,5 km ≫ De l'autre côté de la rivière L'Assomption, tournez à droite sur la rue de la Rivière (devient rang Saint-Vincent, puis rang Saint-Laurent).

09

ON NOUS A DIT...

Il fut un temps où vous n'auriez pu circuler en maillot et cuissard à Saint-Alphonse-Rodriguez.

En effet, en 1947, le maire interdit le port du maillot de bain et du short dans les lieux publics, et le curé en remit dans un sermon prononcé en 1952 : « Je n'ai pas à vous dicter quel vêtement porter chez vous, mais lorsque vous vous promenez ou que vous allez au restaurant, je vous demanderais de bannir de votre costume ce vêtement indécent qu'on nomme "short". »

9,8 km ≫ Au Y, prenez à droite pour demeurer sur le rang Saint-Laurent.

9,9 km ≫ Tournez à droite pour demeurer sur le rang Saint-Laurent.

12,6 km ≪ Tournez à gauche sur le chemin de la Belle-Montagne.

14,1 km ≫ Tournez à droite sur le chemin du Lac-Croche.

15,3 km ≪ Tournez à gauche sur le chemin de la Rivière-Blanche (devient rang de la Feuille-d'Érable).

19,8 km ≪ Tournez à gauche pour demeurer sur le rang de la Feuille-d'Érable.

24,0 km ≫ Au bout du rang, tournez à droite sur la rue Principale (route 347).

24,6 km ≫ Tournez à droite sur la rue Desrosiers (devient rang de la Seigneurie, puis rang Sainte-Catherine).

34,3 km ≪ Tournez à gauche pour demeurer sur le rang Sainte-Catherine.

34,8 km ≫ Tournez à droite sur le chemin du Lac-Noir.

35,9 km ≪ Tournez à gauche sur la route 131.

38,9 km ≪ Tournez à gauche sur le rang du Sacré-Cœur.

09

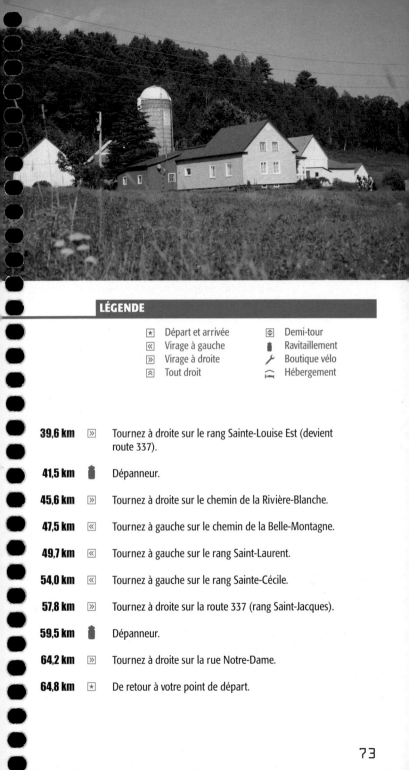

LÉGENDE

★	Départ et arrivée	⊕	Demi-tour
≪	Virage à gauche	🍶	Ravitaillement
≫	Virage à droite	🔧	Boutique vélo
⚠	Tout droit	🛏	Hébergement

39,6 km	≫	Tournez à droite sur le rang Sainte-Louise Est (devient route 337).
41,5 km	🍶	Dépanneur.
45,6 km	≫	Tournez à droite sur le chemin de la Rivière-Blanche.
47,5 km	≪	Tournez à gauche sur le chemin de la Belle-Montagne.
49,7 km	≪	Tournez à gauche sur le rang Saint-Laurent.
54,0 km	≪	Tournez à gauche sur le rang Sainte-Cécile.
57,8 km	≫	Tournez à droite sur la route 337 (rang Saint-Jacques).
59,5 km	🍶	Dépanneur.
64,2 km	≫	Tournez à droite sur la rue Notre-Dame.
64,8 km	★	De retour à votre point de départ.

RÉGION
Lanaudière

[Saint-Roch-de-l'Achigan › L'Épiphanie › L'Assomption (Saint-Gérard-Majella) › Crabtree › Saint-Marie-Salomé › Saint-Roch-de-l'Achigan]

DISTANCE	NIVEAU	DÉNIVELÉ POSITIF
55,4 km	●●○○○	88 m

S'Y RENDRE

De l'autoroute 25 Nord, prendre la sortie 44 et tourner à gauche sur la route 339. À Saint-Roch-de-l'Achigan, cette dernière devient la rue Principale; la suivre jusqu'à l'église située au 1188, sur la gauche. Stationnement disponible.

Partir sur un coup de tête

Le parcours proposé ici est à la portée de tous de par son modeste kilométrage (55,4 km) et son faible dénivelé (88 m). Son point de départ se trouvant à moins de trois quarts d'heure de voiture de Montréal, cela en fait une balade express idéale pour les 3 millions d'habitants de la grande région métropolitaine. Vélo Québec est passé ici en 1996 avec l'événement La Petite Aventure, proposant aux cyclistes une enfilade de chemins paisibles où il fait bon pédaler en famille, un trajet idéal pour initier les enfants (ou les adultes profanes) à la petite reine. Quel plaisir d'aller à vélo sur de belles routes, souvent étroites, en longeant les rivières L'Assomption, de l'Achigan et Saint-Esprit! Dans cette région agricole, on cultive surtout le maïs, mais aussi une variété de petits fruits et de légumes. Le paysage varie énormément

LE PASSERIN INDIGO
100, Grande Ligne
Saint-Alexis
450 839-3482
gitelepasserin.com
Dans cette splendide maison ancestrale, on a aménagé quatre magnifiques chambres aux styles différents (rustique, champêtre, antique et provincial) dont deux avec salle de bain complète. Wifi dans toutes les chambres, espace vélo sécurisé. Copieux petits déjeuners trois services.

PARCOURS PROPOSÉ PAR
FRANCE THIBOUTOT, MONTRÉAL

«La tout première édition de La Petite Aventure, en 1996, avait eu lieu ici, dans Lanaudière. J'en garde un souvenir impérissable, celui d'un enchaînement de routes campagnardes et d'une grande quiétude. Je reviens pédaler ici aussi souvent que je le peux.»

d'une saison à l'autre ; l'été, on profite des champs luxuriants (et de leurs délicieuses récoltes), tandis que l'automne, les arbres arborent leurs couleurs vives ou commencent à se dégarnir et, à perte de vue, les champs labourés attendent la venue de l'hiver.

Vous l'aurez deviné, on roule sur un terrain plat. Pas de montées exigeantes ni de descentes techniques, mais on ne s'ennuie pas pour autant, loin de là ! Toujours, quelque chose égaie le parcours – un troupeau de vaches ici, un peu plus loin une rivière qui coule paisiblement, une jolie ferme ancestrale... Et tout ça à quelques lieues de l'agitation de la grande ville. On en revient ressourcé en se promettant d'y revenir rapidement.

UNE PAUSE Il n'existe aucune halte aménagée sur le trajet, mais vous pouvez casser la croûte sur le parvis des nombreuses églises croisées dans les villages.

PETIT PLAISIR

ENFARINÉ !
Vous avez là accès à un très grand choix de farines moulues sur pierre à la boutique même, le plus souvent à partir de grains fournis par des producteurs locaux. Vous y trouverez de tout : farine de blé, bien sûr (dur, mou ou polonais), mais aussi de soya, d'épeautre, de maïs, d'orge, de sarrasin... Les produits du **Moulin Bleu** devraient bientôt être certifiés bio.

420, rte 341
Saint-Roch-de-l'Achigan
450 588-2660
aumoulinbleu.com

DOMAINE DES TROIS GOURMANDS
293, Petite Ligne
Saint-Alexis
450 831-3003
3gourmands.com
Superbe domaine où on peut vous accueillir avec réservation pour un repas du midi ou du soir. Exquise table d'hôte avec quelques plats mettant à l'honneur la pintade ou le faisan. Cartes des vins.

75

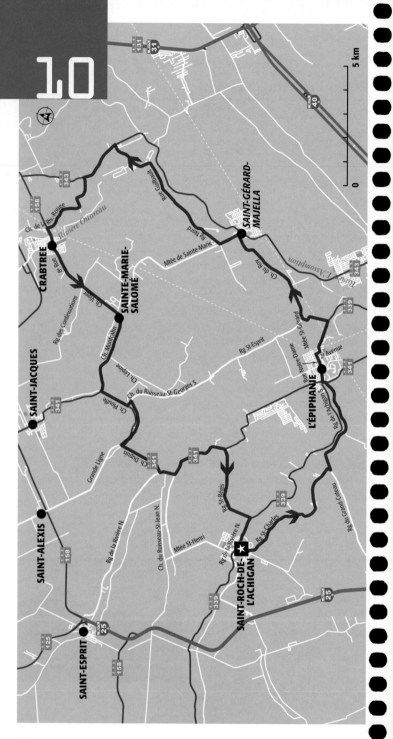

☆	Départ et arrivée	⊡	Demi-tour
⫷	Virage à gauche	▮	Ravitaillement
⫸	Virage à droite	⚲	Boutique vélo
⩘	Tout droit	⌂	Hébergement

0,0 km ☆ Départ de l'église de Saint-Roch-de-l'Achigan, située au 1188, rue Principale.

0,0 km ▮ Possibilité de ravitaillement à Saint-Roch-de-l'Achigan même.

0,0 km ⚲ [Hors parcours] Centre du Vélo Mascouche, 270, montée Masson, Mascouche, 450 966-6275.

0,0 km ⫸ En sortant du stationnement de l'église, tournez à droite sur la rue Principale.

0,2 km ⫷ Tournez à gauche sur la rue du Docteur-Wilfrid-Locat

0,5 km ⫷ Tournez à gauche sur le rang Saint-Charles.

6,4 km ⫷ Tournez à gauche sur le rang du Grand-Coteau (devient rang de l'Achigan Sud).

10,7 km ⫷ Tournez à gauche sur la route 341 Nord.

10,9 km ⫸ Tournez à droite sur la rue Notre-Dame (route 339 Sud). Aucun panneau n'indiquait le nom de la rue au moment de la rédaction de ce guide.

11,2 km ▮ Épicerie.

11,4 km ⫸ Tournez à droite sur la rue Leblanc pour demeurer sur la route 339 Sud.

11,5 km ⫷ Tournez à gauche sur la rue Notre-Dame.

12,2 km ⫸ Tournez à droite sur la 2e Avenue.

12,4 km ⫷ Tournez à gauche sur la rue des Sulpiciens (route 339 Sud).

13,8 km ⫷ Tournez à gauche sur le rang Saint-Esprit.

15,0 km ⫸ Tournez à droite sur la montée Saint-Gérard (devient chemin du Roy).

10

ON NOUS A DIT...

Saviez-vous que la région de Lanaudière compte plus de 30 000 descendants acadiens ? Leurs ancêtres y seraient venus en trois vagues plus importantes. Tout d'abord, de 1759 à 1766, on accueille des réfugiés qui fuient la déportation ; viennent ensuite, en 1766, environ 100 personnes revenant de l'exil en Nouvelle-Angleterre ; finalement, le contingent le plus nombreux – 35 familles – arrive du Massachusetts en 1767.

LÉGENDE

⋆	Départ et arrivée	⊡	Demi-tour
≪	Virage à gauche	▮	Ravitaillement
≫	Virage à droite	🔧	Boutique vélo
⌃	Tout droit	⌂	Hébergement

19,8 km ≪ Tournez à gauche sur la montée Sainte-Marie.

20,7 km ≫ Tournez à droite sur le Rang Nord (devient rue Guilbault).

27,3 km ≪ Tournez à gauche sur la route 343 Nord. Aucun panneau n'indiquait le nom de la rue au moment de la rédaction de ce guide.

29,4 km ≪ Tournez à gauche sur le chemin Froment (devient chemin de la Rivière-Rouge).

32,7 km ≪ Tournez à gauche sur le chemin Saint-Michel (devient 8ᵉ Rue, puis chemin Sainte-Marie et ensuite chemin Viger).

33,2 km ▮ Épicerie.

37,8 km ≫ Tournez à droite sur le chemin Montcalm.

41,2 km ≪ Tournez à gauche sur le chemin Plouffe (route 341 Sud).

42,5 km ≪ Tournez à gauche sur le rang du Ruisseau-Saint-Georges Sud.

42,8 km ≫ Tournez à droite sur le chemin Mireault.

45,0 km ≪ Tournez à gauche sur le chemin Dupuis (route 341 Sud).

47,8 km ≪ Tournez à gauche sur le chemin du Ruisseau-Saint-Jean Sud pour demeurer sur la route 341.

50,6 km ≫ Tournez à droite sur le rang Saint-Régis.

54,1 km ≫ Tournez à droite sur le rang de la Rivière Nord (devient rue Principale).

55,4 km ⋆ De retour à votre point de départ.

RÉGION
Montérégie

[Sainte-Martine › Saint-Louis-de-Gonzague › Saint-Étienne-de-Beauharnois › Sainte-Martine]

DISTANCE	NIVEAU	DÉNIVELÉ POSITIF
50,9 km	●○○○○	**47 m**

S'Y RENDRE

Suivre la route 138 jusqu'à Sainte-Martine, où elle devient la rue Saint-Joseph ; suivre cette rue jusqu'à l'église située au 122.

La belle excuse

« Je n'ai pas la forme.

– L'itinéraire proposé est court.

– Je n'aime pas grimper.

– Ici, aucune montée ni descente. Pour vous donner un idée, le dénivelé positif total est d'à peine 47 m.

– Je vais m'ennuyer.

– C'est plat, oui, mais pas monotone pour autant. On longe la rivière Châteauguay et plusieurs terres agricoles où on cultive surtout du maïs. Les champs s'étendent à perte de vue.

– Pas envie de rouler dans le trafic.

– C'est un enchaînement de rangs et de chemins paisibles, mis à part quelques centaines de mètres sur une route secondaire. On ne croise même aucun village et on longe des terres agricoles ; c'est une balade sereine.

– Pas envie de me taper des heures de voiture avant d'entreprendre le circuit.

BARDON FARM B&B
1557, ch. de Fertile Creek
Très-Saint-Sacrement
450 825-2697

Cette grande maison de ferme rénovée est sise sur un vaste terrain et dispose d'une piscine intérieure et d'une salle d'exercices. Les trois chambres sont climatisées. On accueille chaleureusement les cyclistes et leur monture.

« J'ai d'abord tracé ce parcours sur des cartes de la région, puis je l'ai effectué en voiture. Mais c'est en le roulant pour la première fois à vélo que j'ai réalisé tout son potentiel. »

– On est à moins de 40 minutes de Montréal.

– ...

– Quelques troupeaux de vaches ruminent nonchalamment, des brebis regardent le temps passer en se faisant chauffer au soleil.

– ...

– À mi-chemin, une aire de pique-nique bien aménagée offre une belle vue sur le canal de Beauharnois.

– Plus d'excuse... »

En effet, vous n'avez aucune excuse pour ne pas enfourcher votre monture et rouler sur ce paisible parcours dans les terres montérégiennes.

UNE PAUSE Au km 24,8, la halte des Villages met à votre disposition quelques tables de pique-nique et une toilette. Prévoyez toutefois des victuailles puisque qu'on n'y trouve aucun commerce.

PETIT PLAISIR

À LA BONNE VÔTRE !

Amateur de vin ? Un arrêt s'impose au **Vignoble J. O. Montpetit & Fils**. On peut y déguster gratuitement un pinard rouge, blanc ou rosé. Des frais minimes sont exigés pour la dégustation du vin de glace et du vin fortifié. On peut même y acheter une bouteille et aller trinquer avec les amis sur la belle terrasse à l'arrière de la boutique.

386, ch. Saint-Louis
Saint-Étienne-
de-Beauharnois
450 395-1122

✗
LES DÉLICES DU PASSANT
158, rue Saint-Joseph, Sainte-Martine
450 427-1330
Bonne adresse pour un petit déjeuner, un lunch ou un souper. Ici, insiste-t-on, on est très fier de servir une cuisine maison SANS friture.

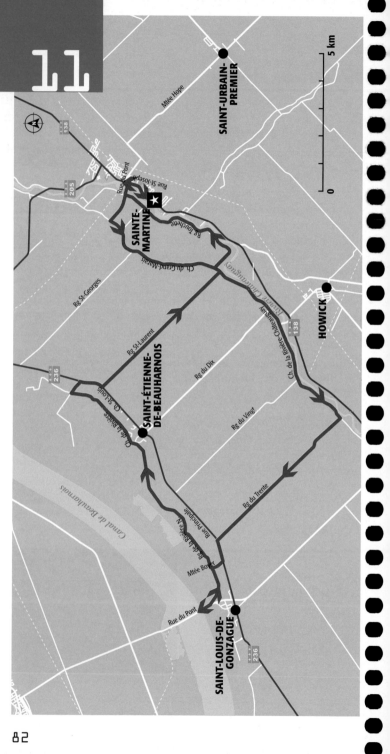

SAINT-URBAIN-PREMIER

SAINTE-MARTINE

SAINT-ÉTIENNE-DE-BEAUHARNOIS

SAINT-LOUIS-DE-GONZAGUE

HOWICK

Mtée Hope

Rue St-Joseph

Rue du Pont

Rg St-Georges

Rg St-Laurent

Rg St-Louis

Ch. de la Rivière

Rg du Dix

Rg du Vingt

Rg du Trente

Rang Chateauguay

Ch. du Grand-Marais

Rg Rouchette

Ch. de la Rivière-Châteauguay

Rue Principale

Rg de la Rivière N.

Mtée Bovet

Rue du Pont

Canal de Beauharnois

138

205

236

138

236

5 km

0

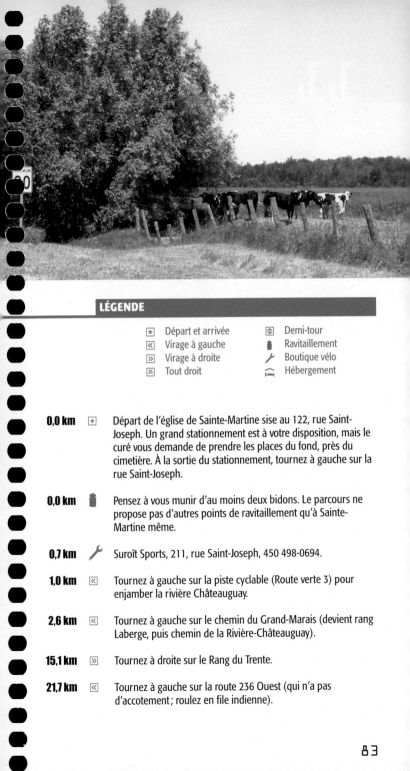

LÉGENDE

⋆	Départ et arrivée	⊕	Demi-tour
≪	Virage à gauche	▮	Ravitaillement
≫	Virage à droite	🔧	Boutique vélo
≋	Tout droit	🛏	Hébergement

0,0 km ⋆ Départ de l'église de Sainte-Martine sise au 122, rue Saint-Joseph. Un grand stationnement est à votre disposition, mais le curé vous demande de prendre les places du fond, près du cimetière. À la sortie du stationnement, tournez à gauche sur la rue Saint-Joseph.

0,0 km ▮ Pensez à vous munir d'au moins deux bidons. Le parcours ne propose pas d'autres points de ravitaillement qu'à Sainte-Martine même.

0,7 km 🔧 Suroît Sports, 211, rue Saint-Joseph, 450 498-0694.

1,0 km ≪ Tournez à gauche sur la piste cyclable (Route verte 3) pour enjamber la rivière Châteauguay.

2,6 km ≪ Tournez à gauche sur le chemin du Grand-Marais (devient rang Laberge, puis chemin de la Rivière-Châteauguay).

15,1 km ≫ Tournez à droite sur le Rang du Trente.

21,7 km ≪ Tournez à gauche sur la route 236 Ouest (qui n'a pas d'accotement ; roulez en file indienne).

PIERRE MÉNARD
NOUS A DIT...

«Au km 36,3, quand on gagne la route 236, regardez à votre gauche, vous verrez un cimetière... pour animaux. En effet, le cimetière Mon Repos est destiné aux animaux de compagnie : chiens, chats, oiseaux, lapins, furets et chevaux...»

LÉGENDE

⋆	Départ et arrivée	⊕	Demi-tour
≪	Virage à gauche	🍶	Ravitaillement
≫	Virage à droite	🔧	Boutique vélo
⌂	Tout droit	🛏	Hébergement

22,5 km ≫ Tournez à droite sur la montée Boyer.

22,9 km ≪ Au Y, prenez à gauche sur le rang de la Rivière Nord. Aucun panneau n'indiquait le nom de la rue au moment de la rédaction de ce guide.

24,4 km ≫ Tournez à droite sur la rue du Pont (piste cyclable).

24,8 km Halte des Villages, voir UNE PAUSE en page 81.

24,8 km ⊕ Faites demi-tour et reprenez la piste cyclable.

25,2 km ≪ Tournez à gauche sur le rang Rivière Nord.

26,6 km ≪ Au Y, prenez à gauche pour demeurer sur le rang Rivière Nord (devient chemin de la Rivière, puis chemin de la Rivière Saint-Louis).

35,8 km ≫ Tournez à droite sur le rang Sainte-Anne.

36,3 km ≫ Tournez à droite sur la route 236 Ouest (chemin Saint-Louis).

37,2 km ≪ Tournez à gauche sur le rang Saint-Laurent.

43,4 km ≪ Tournez à gauche sur le chemin du Grand-Marais.

43,7 km ≫ Tournez à droite sur le rang Touchette.

48,4 km ≫ Tournez à droite sur la piste cyclable de la rue du Pont (Route verte 3).

49,9 km ≫ Tournez à droite sur la rue Saint-Joseph.

50,9 km ⋆ De retour à votre point de départ.

RÉGION
Cantons-de-l'Est

[Frelighsburg › Saint-Armand (Pigeon Hill) › Bedford ›
Stanbridge East › Dunham › Frelighsburg]

DISTANCE	NIVEAU	DÉNIVELÉ POSITIF
83,4 km	●●●●●	**468 m**

S'Y RENDRE

De l'autoroute 10,
prendre la sortie 22
vers l'autoroute de
la Vallée-des-Forts
(autoroute 35
Sud). Poursuivre
sur la route 133
Sud. À Philipsburg,
tourner à gauche
en direction de
Saint-Armand (rue
Quinn, devient
chemin Saint-
Armand). À
Frelighsburg,
tourner à droite sur
la rue Principale et
suivre les
indications pour le
Domaine Pinnacle
(150, chemin de
Richford).
Stationnement
disponible et
terrasse pour casser
la croûte.

Formidable foisonnement

Ce circuit est un véritable coup de cœur. Tout est
en place pour vous combler de bonheur : d'abord
ce paysage, qui change au fil des kilomètres, puis
cette quasi-absence de circulation automobile, et
enfin Le Pinacle, mont que jamais on ne quitte
des yeux tout au long du trajet. Le degré de difficulté attribué est élevé principalement en raison
de la célèbre montée Joy Hill, qu'on gravit à la
toute fin de l'itinéraire. Cela ne devrait toutefois
pas rebuter les cyclistes du dimanche : oui, elle est
longue (4 km), mais son dénivelé est modeste mis
à part une portion à près de 13 %. Vous aurez
d'ailleurs l'occasion de la jauger, puisqu'on la descend au tout début du parcours.

   Entre la descente et l'ascension de la Joy Hill ?
Une suite de routes paisibles et bucoliques. On cô-
toie de vastes champs de maïs, mais aussi plusieurs

B&B DOMAINE DES CHUTES
6, ch. des Chutes, Frelighsburg
450 298-5444
chutes.qc.ca
Qu'il porte bien son nom, ce B&B !
En effet, la plupart des chambres
offrent une vue et une terrasse
privée sur la très belle chute qui
coule sur le domaine. Cuisine
commune pour repas légers. Remise verrouillée pour les vélos.

PARCOURS PROPOSÉ PAR
DAVID BÉRUBÉ, BROMONT

« Je faisais cette boucle et des variantes avant d'aménager dans la région. Lorsqu'enfin je m'y suis installé, je me suis demandé si, au fil des ans, j'allais m'en lasser... Eh bien non : je la parcours toujours avec le même plaisir ! »

vergers et des vignobles, nombreux dans Brome-Missisquoi. Impossible de répertorier dans ce guide tous les arrêts gourmands qui jalonnent la route, le parcours étant ponctué de nombreux panneaux invitant à visiter les producteurs locaux. Parmi ceux-ci, vignobles, cidreries, vergers, apicultures, fermes de viandes bio, exploitations maraîchères et plus encore. À vous de les découvrir !

On termine le périple en traversant le minuscule, mais ô combien coquet village de Frelighsburg pour ensuite entamer l'ascension de Joy Hill. On fait une telle provision de bonheur qu'on a l'impression de monter au ciel ! On se jure ensuite qu'on y reviendra avant la fin de la saison, d'autant plus qu'on est à une heure de route de Montréal !

UNE PAUSE Une halte est possible au Domaine Pinnacle même.

LYVANO
4, rue Principale, Frelighsburg
450 298-1119
restaurantlyvano.com
Ouvert tout récemment par une jeune équipe, ce restaurant propose entre autres d'excellents plats de pâtes et des grillades. Cuisine soignée et service attentionné. Très belle terrasse en été.

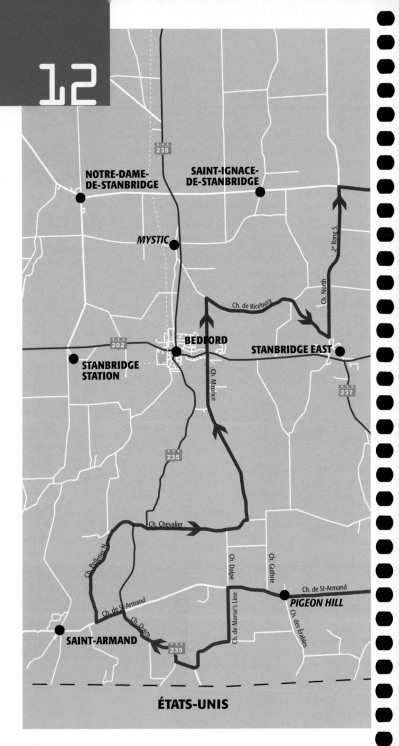

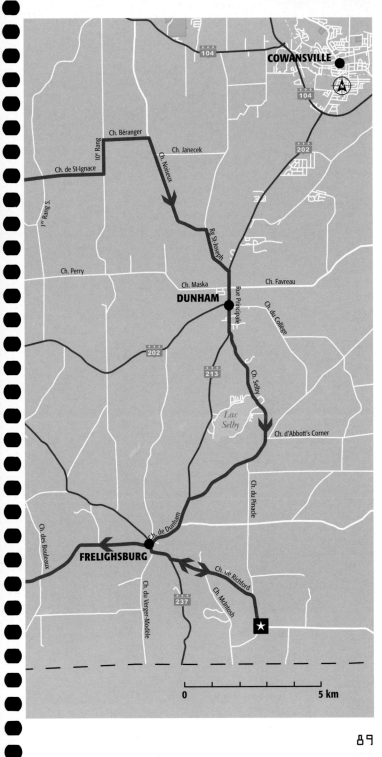

12

⋆	Départ et arrivée	⊕	Demi-tour
≪	Virage à gauche	🍶	Ravitaillement
≫	Virage à droite	🔧	Boutique vélo
⬈	Tout droit	🏠	Hébergement

0,0 km ⋆ Départ du Domaine Pinnacle (150, chemin de Richford, Frelighsburg).

0,0 km 🍶 Possibilité de ravitaillement au Domaine même.

0,0 km 🔧 [Hors parcours] Vélo Evasion Sports Excellence, 797, route 202 Ouest, Bedford, 450 248-7188.

0,0 km ≪ Prenez à gauche sur le chemin de Richford (vous amorcerez la longue descente de Joy Hill).

4,7 km ≫ Tournez à droite sur la route 237 Nord.

5,5 km ≫ Tournez à droite afin de demeurer sur la route 237 Nord.

5,7 km ≪ Tournez à gauche sur le chemin de Saint-Armand.

16,1 km ≪ Tournez à gauche sur le chemin de Morse's Line.

18,0 km ≫ Tournez à droite afin de demeurer sur le chemin de Morse's Line.

19,9 km ≫ Tournez à droite sur le chemin Dutch (route 235 Ouest).

20,6 km ≫ Tournez à droite afin de demeurer sur le chemin Dutch (route 235 Ouest).

23,6 km ≪ Tournez à gauche sur le chemin de Saint-Armand.

24,6 km ≫ Tournez à droite sur le chemin Pelletier Nord.

28,1 km ≫ Tournez à droite vers le chemin Chevalier.

29,5 km ≪ Au Y, prenez à gauche le chemin Chevalier (devient chemin Édoin).

33,4 km ≪ Tournez à gauche sur le chemin Maurice (devient chemin Victoria).

12

ON NOUS A DIT...

La charmante maison de ferme qui fait partie
du Domaine Pinnacle fut érigée en 1859. Dans
ses premières années, la maison servit de point d'arrêt sur le célèbre «chemin de fer
clandestin» grâce auquel plus de 30 000 esclaves afro-américains trouvèrent la liberté au
Canada. Quelques générations plus tard, la maison sera utilisée comme lieu de rendez-
vous pour des contrebandiers à l'époque de la prohibition.

LÉGENDE

⋆	Départ et arrivée	⊕	Demi-tour
≪	Virage à gauche	🥤	Ravitaillement
≫	Virage à droite	🔧	Boutique vélo
⌂	Tout droit	⌂	Hébergement

41,6 km ≫ Tournez à droite sur le chemin de Riceburg.

47,0 km ≪ Tournez à gauche sur le chemin North (devient 2ᵉ Rang Sud).

52,4 km ≫ Tournez à droite sur le chemin de Saint-Ignace.

56,5 km ≪ Tournez à gauche sur le 10ᵉ Rang.

57,7 km ≫ Tournez à droite sur le chemin Béranger.

59,4 km ≫ Tournez à droite sur le chemin Noiseux.

63,6 km ≫ Tournez à droite sur le rang Saint-Joseph.

65,4 km ≫ Tournez à droite sur la rue Principale.

67,5 km ≪ Prenez à gauche le chemin Selby.

75,4 km ≪ Tournez à gauche sur le chemin de Dunham.

77,7 km ≪ Tournez à gauche sur la route 237 Sud.

78,0 km ≪ Tournez à gauche pour demeurer sur la route 237.

78,7 km ≪ Tournez à gauche sur le chemin de Richford.

83,4 km ⋆ De retour à votre point de départ.

13

[Saint-Antoine-sur-Richelieu › Saint-Roch-de-Richelieu › Saint-Ours › Saint-Denis-sur-Richelieu › Saint-Antoine-sur-Richelieu]

DISTANCE	NIVEAU	DÉNIVELÉ POSITIF
47,5 km	●○○○○	**60 m**

S'Y RENDRE

De l'autoroute 30, prendre la sortie 158, puis le chemin de la Pomme-d'Or jusqu'à Saint-Antoine-sur-Richelieu. Le départ se fait en face de l'église, au 1026, rue du Rivage (route 223). Stationnement disponible.

Tous les saints du Richelieu

Cette balade saura ravir les amateurs de villages coquets. De niveau facile, elle incite à s'arrêter un peu partout en chemin pour admirer les maisons si bien conservées qui font l'orgueil des gens d'ici. On largue les amarres en face de l'église du paisible hameau de Saint-Antoine-sur-Richelieu puis, tout au long de ce court périple, on longe le Richelieu qu'on traverse à deux reprises à bord d'un bac. Les deux traversées (2 $ chacune), qu'il est préférable de faire un jour de semaine pour éviter une circulation automobile plus lourde les week-ends, sont réjouissantes au possible ; cheveux au vent, on profite d'une pause d'à peine quelques minutes que, déjà, on se trouve sur l'autre rive.

Les saints sont mis à l'honneur au cours de cet itinéraire : on traverse en effet les villages de Saint-Antoine-sur-Richelieu, Saint-Roch-de-Richelieu,

LA GALERIE B&B
1009, rue du Rivage, Saint-Antoine-sur-Richelieu
450 787-9752 / galeriebb.ca
À quelques mètres à peine du point de départ, Gaëtane et Roger vous accueillent dans leur établissement hybride : moitié galerie, parce que Gaëtane peint, et ses œuvres tapissent les murs de cette belle demeure, et moitié B&B, parce que Roger offre quatre chambres décorées avec goût. Délicieux petits déjeuners, magnifique jardin.

Les établissements certifiés Bienvenue cyclistes ! sont répertoriés à routeverte.com/bienvenuecyclistes.

PARCOURS PROPOSÉ PAR
MONIQUE ROBITAILLE, VERCHÈRES

« C'est un itinéraire apaisant qui suit la rivière Richelieu et permet d'admirer le charme des maisons et des villages, l'opulence des terres agricoles. Cela ramène à une époque où la vie coulait tout doucement, loin de l'effervescence urbaine. »

Saint-Ours et Saint-Denis-sur-Richelieu, trois d'entre eux faisant d'ailleurs partie des plus beaux villages du Québec, un titre largement mérité ; le cœur de ces villages a su conserver son âme, et surtout une certaine homogénéité sur le plan de l'architecture, un véritable délice pour les yeux.

Au km 25,0, lors de votre entrée dans Saint-Denis-sur-Richelieu, prenez le temps d'explorer le dédale de rues derrière le parc des Patriotes. L'étroitesse de celles-ci et le souci de conservation dont témoignent les habitants quant à leur demeure étonnent et font vivre un saut dans le temps.

UNE PETITE PAUSE Au km 10,2, près de la passe migratoire Vianney-Legendre, et au km 16,2, à l'écluse du canal Saint-Ours, se trouvent quelques tables de pique-nique.

DANS UN JARDIN ANGLAIS

Vous vous intéressez à l'horticulture ? Arrêtez-vous ! Le **Jardin des Curiosités** est un véritable petit paradis. Une multitude d'orchidées y ont trouvé refuge entre les branches d'un tilleul, et des centaines de batraciens peuplent un joli jardin aquatique. Découvrez aussi les allées du jardin anglais où poussent plus de 800 espèces de vivaces. Droit d'entrée : 10 $.

2875, ch. des Patriotes
Saint-Ours
450 785-2316

✕ RESTAURANT LE SAINT-ANTOINE
1128, rue du Rivage, Saint-Antoine-sur-Richelieu
450 787-3863
Aménagée dans une magnifique maison, cette table fort sympathique sert deux plats du jour. Sur réservation seulement.

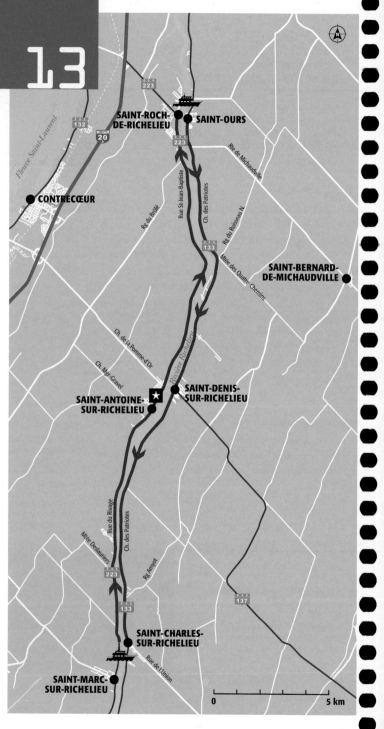

MONIQUE ROBITAILLE
NOUS A DIT...

« Avez-vous remarqué les panneaux de bienvenue à l'entrée du village ? La municipalité a demandé à Marc Lépine, qui est illustrateur pour *Vélo Mag*, de faire un dessin représentant le village de Saint-Antoine-sur-Richelieu. »

LÉGENDE

⋆	Départ et arrivée	⊕	Demi-tour
≪	Virage à gauche	🥫	Ravitaillement
≫	Virage à droite	🔧	Boutique vélo
⟰	Tout droit	🛏	Hébergement

0,0 km ⋆ Départ de l'église Saint-Antoine-de-Padoue, 1026, rue du Rivage (route 223). Plusieurs places de stationnement sont disponibles à l'église. Lorsque vous faites face à l'église, entamez votre parcours vers la droite.

0,0 km 🥫 Possibilité de ravitaillement à Saint-Antoine-sur-Richelieu même.

12,6 km ≫ Tournez à droite sur la rue Principale. C'est la première traversée en bac, prévoyez 2 $. En opération d'avril à décembre.

13,1 km ≫ À la descente du bac, filez vers la droite sur la rue de l'Immaculée-Conception (route 133, qui changera plusieurs fois de nom en chemin).

25,0 km 🔧 Jean Huard Bicyclettes, 591, chemin des Patriotes, Saint-Denis-sur-Richelieu, 450 787-2956.

25,2 km 🥫 Dépanneur

36,4 km ≫ À votre droite se trouve le bac pour votre retour vers Saint-Antoine-sur-Richelieu, prévoyez 2 $. En opération d'avril à décembre.

36,4 km ≫ À la descente du bac, filez à droite sur la rue du Rivage (route 223).

47,5 km ⋆ De retour à votre point de départ.

14

RÉGION
Mauricie

[Shawinigan (Sainte-Flore) › Saint-Mathieu-du-Parc › Saint-Élie-de-Caxton › Saint-Boniface › Shawinigan (Sainte-Flore)]

DISTANCE	NIVEAU	DÉNIVELÉ POSITIF
63,3 km	●●●○○	252 m

S'Y RENDRE

De l'autoroute 40, prendre l'autoroute 55 Nord jusqu'à la sortie 226. Tourner à droite sur la 8ᵉ Rue, puis à droite sur la 15ᵉ Avenue et encore à droite sur la 15ᵉ Rue. Au bout de la rue, tourner à gauche sur la 50ᵉ Avenue et poursuivre jusqu'à l'église Sainte-Flore, située à l'intersection de la 35ᵉ Rue.

Lacs et légendes au pays de Fred Pellerin

Vous aimez les lacs ? Vous servez servi. Pas étonnant que ce parcours soit très couru des cyclistes du coin. Le point de départ est situé devant l'église de Sainte-Flore, dont on peut utiliser le stationne-ment. Le village de Sainte-Flore est désormais an-nexé à Shawinigan, mais ici, on tient au nom d'origine. Il fait bon y flâner sur la rue principale, la 50ᵉ Avenue, où bon nombre d'excellents restau-rants ont pignon sur rue. Le parcours comporte un bref aller-retour vers Saint-Élie-de-Caxton, le désormais célèbre village de Fred Pellerin.

En saison, le minuscule village est pris d'assaut par les touristes ; la population semble bien s'en accommoder, et plusieurs commerces ont fait

AUBERGE LE FLORÈS
4291, 50ᵉ Avenue, Shawinigan (Sainte-Flore)
819 538-9340
leflores.com
Dans cette belle auberge, on accueille les cyclistes à bras ouverts. Un petit massage après votre rando ? Ici, c'est possible. Piscine extérieure, restau-rant et wifi.

Les établissements certifiés Bienvenue cyclistes ! sont répertoriés à routeverte.com/bienvenuecyclistes.

MARIE-JOSÉE GERVAIS, SHAWINIGAN

« La *ride* des lacs, comme on l'appelle ici, est le parcours de prédilection des gens de la région. Quand je le complète pour la première fois de la saison, c'est signe que l'été est bel et bien arrivé. »

leur apparition, dont une excellente boulangerie artisanale (voir PETIT PLAISIR) et quelques restaurants. Le chemin pour s'y rendre fait partie des coups de cœur de ce circuit : imaginez une belle route en lacets bordée par une dense forêt de majestueux pins dans laquelle la lumière du soleil tente de se frayer un passage. De toute beauté. À l'entrée de Saint-Élie, faites bien attention de ralentir à la traverse piétonnière de... lutins. Si vous avez de la chance, vous en croiserez un. Les plus ambitieux peuvent prolonger le chemin du retour sur la même route jusqu'à l'entrée du parc national du Canada de la Mauricie (entrée Saint-Jean-des-Piles), ce qui allongera la distance d'environ 30 km.

UNE PAUSE À l'entrée du village de Saint-Élie-de-Caxton est érigé un pavillon pour ceux qui voudraient s'arrêter casser la croûte.

PETIT PLAISIR

BOULANGERIE D'UN VILLAGE CÉLÈBRE

Elle porte bien son nom, la **Boulangerie en Passant**. C'est en effet en traversant le village de Fred Pellerin que vous pourrez vous y arrêter. Un endroit comme on les aime, où tout est fait sur place avec amour. Bon choix de viennoiseries et excellent café.

2380, av. Principale
Saint-Élie-de-Caxton
819 221-2755

✗ RESTAURANT LE SAINT-ANTOINE
3651, 50ᵉ Avenue, Shawinigan (Sainte-Flore)
819 538-6421

On apporte son vin dans ce restaurant italien sans prétention aménagé en plusieurs petites salles à manger dans une ancienne maison au charme certain. Accueil très chaleureux, portions copieuses. Enfants toujours bienvenus.

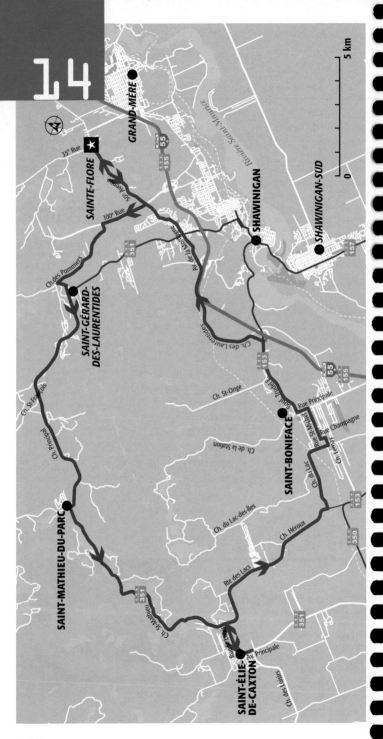

GRAND-MÈRE

SAINTE-FLORE

35ᵉ Rue

50ᵉ Avenue

100ᵉ Rue

Ch. des Pommiers

SAINT-GÉRARD-
DES-LAURENTIDES

Ch. St-François

Ch. Principal

SAINT-MATHIEU-DU-PARC

Ch. St-Mathieu

Rte des Lacs

Rue des Usines

Av. Principale

SAINT-ÉLIE-
DE-CAXTON

Ch. des Loisirs

Ch. du Lac-des-Îles

Ch. de la Station

Ch. St-Onge

Ch. des Laurentides

Av. de la Montagne

Rivière Saint-Maurice

SHAWINIGAN

SHAWINIGAN-SUD

Boul. Trudel

Ch. St-Michel

Rue Principale

Rue Champagne

Rue Lemay

Ch. Lemay

SAINT-BONIFACE

Ch. du Lac

Ch. Héroux

55

155

351

153

55

155

157

153

350

351

5 km

0

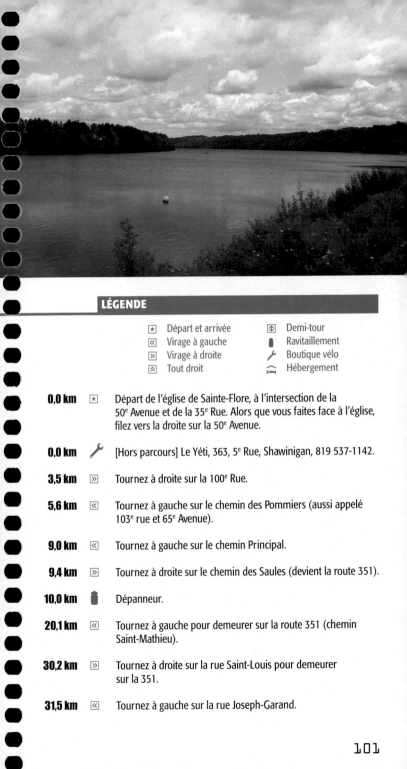

LÉGENDE

⋆	Départ et arrivée	⊕	Demi-tour
⫷	Virage à gauche	🧴	Ravitaillement
⫸	Virage à droite	🔧	Boutique vélo
⬆	Tout droit	🏠	Hébergement

0,0 km ⋆ Départ de l'église de Sainte-Flore, à l'intersection de la 50ᵉ Avenue et de la 35ᵉ Rue. Alors que vous faites face à l'église, filez vers la droite sur la 50ᵉ Avenue.

0,0 km 🔧 [Hors parcours] Le Yéti, 363, 5ᵉ Rue, Shawinigan, 819 537-1142.

3,5 km ⫸ Tournez à droite sur la 100ᵉ Rue.

5,6 km ⫷ Tournez à gauche sur le chemin des Pommiers (aussi appelé 103ᵉ rue et 65ᵉ Avenue).

9,0 km ⫷ Tournez à gauche sur le chemin Principal.

9,4 km ⫸ Tournez à droite sur le chemin des Saules (devient la route 351).

10,0 km 🧴 Dépanneur.

20,1 km ⫷ Tournez à gauche pour demeurer sur la route 351 (chemin Saint-Mathieu).

30,2 km ⫸ Tournez à droite sur la rue Saint-Louis pour demeurer sur la 351.

31,5 km ⫷ Tournez à gauche sur la rue Joseph-Garand.

14

Lac-à-la-Pêche ←
Parc national ↑
Lac Bellemare ↑
Lac Trudel ↑
Lac Vert ←

MARIE-JOSÉE GERVAIS
NOUS A DIT...

« Lac à la Pêche, lac Bellemare, lac Trudel, lac Gareau, lac Souris, lac Brûlé... À certains endroits, on longe un lac à notre gauche et un autre à notre droite ; je n'ai jamais vu ailleurs une telle concentration de lacs. »

LÉGENDE

⋆	Départ et arrivée	⊕	Demi-tour
⟪	Virage à gauche	▮	Ravitaillement
⟫	Virage à droite	⚲	Boutique vélo
⟰	Tout droit	⌂	Hébergement

31,7 km ⟪   Tournez à gauche sur l'avenue Principale.

32,3 km ⊕   À l'intersection du chemin des Loisirs, faites demi-tour.

32,3 km ▮   Dépanneur.

32,6 km ⟫   Tournez à droite sur la rue Joseph-Garand.

33,0 km ⟫   Tournez à droite sur la rue Saint-Louis (route 351).

34,2 km ⟫   Tournez à droite sur le chemin Saint-Mathieu (devient route des Lacs, puis chemin Héroux).

41,5 km ⟪   Tournez à gauche sur le chemin du Lac.

44,9 km ⟪   Tournez à gauche sur le chemin Lemay.

45,2 km ⟪   Tournez à gauche sur la rue Marineau.

45,4 km ⟫   Tournez à droite sur la rue Saint-Michel.

46,9 km ⟪   Tournez à gauche sur la rue Principale (route 153).

47,3 km ⟫   Tournez à droite sur le boulevard Trudel Est (route 153).

50,8 km ⟪   Tournez à gauche sur le chemin des Laurentides (devient avenue de la Montagne).

58,6 km ⟪   Tournez à gauche pour rester sur l'avenue de la Montagne (devient 50e Avenue).

63,3 km ⋆   De retour à votre point de départ.

1.5

RÉGION
Mauricie

[Shawinigan › Saint-Boniface › Saint-Étienne-des-Grès › Shawinigan]

DISTANCE	NIVEAU	DÉNIVELÉ POSITIF
57,0 km	●●○○○	219 m

S'Y RENDRE

De l'autoroute 40, prendre la sortie 196 Nord pour rejoindre la route 55 Nord, puis suivre les indications pour Shawinigan. Le point de départ est à l'Auberge Gouverneur Shawinigan (1100, promenade du Saint-Maurice). Stationnement en face et à proximité.

De la ville aux villages

Ce parcours à la portée de tous emprunte quelques voies cyclables, dont la Route verte 4 et plusieurs routes paisibles de la Mauricie. Son dénivelé plutôt modeste (mis à part la très courte et abrupte montée de La Gabelle) peut convenir à tout cycliste qui n'a pas envie de s'éreinter. On longe les rivières Saint-Maurice et Shawinigan, croisant au passage plusieurs chutes et un barrage. Justement, un barrage, vous en avez déjà traversé un à vélo? Ici, on enjambe le Saint-Maurice directement de la centrale hydroélectrique de La Gabelle. Tout près, on trouve une aire de pique-nique fort agréable – ça tombe bien, on est à mi-chemin, alors on en profite pour reprendre des forces tout en admirant la rivière et ses belles rives sauvages.

À la toute fin du parcours, dans le secteur Shawinigan-Sud, on passe tout près de l'église

Bienvenue cyclistes!

AUBERGE GOUVERNEUR SHAWINIGAN

1100, prom. du Saint-Maurcie, Shawinigan
819 537-6000
gouverneurshawinigan.com
Située tout près du très animé carré Willow et en face du Saint-Maurice, l'auberge offre cent deux chambres tout confort dans lesquelles votre vélo a aussi droit de séjour. Restaurant, piscine, spa et wifi.

Les établissements certifiés Bienvenue cyclistes ! sont répertoriés à routeverte.com/bienvenuecyclistes.

«Le parcours classique dans la région est sans contredit le parc national de la Mauricie ; le territoire regorge néanmoins d'admirables routes tranquilles. Ce circuit vous en donne un bel aperçu.»

Notre-Dame-de-la-Présentation, lieu historique national du Canada, où on peut admirer le dernier projet d'envergure d'Ozias Leduc, grand peintre de l'art sacré au Québec ; des visites sont offertes au public. Ultime récompense, la microbrasserie Le Trou du Diable ouvre ses portes à 15 h : faites coïncider votre entrée à Shawinigan pour y déguster sur la terrasse une des nombreuses bières brassées sur les lieux (voir ci-dessous). Ce périple peut se boucler assez rapidement, laissant le temps de visiter quelques-uns des intérêts touristiques de la région, dont l'incontournable Cité de l'énergie. Les points de ravitaillement étant nombreux, ils ne sont pas tous répertoriés dans ce guide.

UNE PAUSE Prenez le temps de vous arrêter au parc nature La Gabelle (km 36,5) : la vue sur le Saint-Maurice y est splendide. On y trouve quelques tables de pique-nique.

PETIT PLAISIR

PÊCHÉ MIGNON
Vous passerez en face. **Le Gobelet** sert des gelati, de la crème glacée, un excellent café et des sandwichs.

2043, av. de la Montagne
Shawinigan
819 539-6006

✗ LE TROU DU DIABLE
412, av. Willow, Shawinigan
819 537-9151
troududiable.com
Microbrasserie artisanale très animée, le Trou du diable propose un choix impressionnant de bières brassées sur place. Le menu est très soigné, privilégiant les produits locaux, dont le bison et d'excellents fromages. Belle terrasse en saison.

105

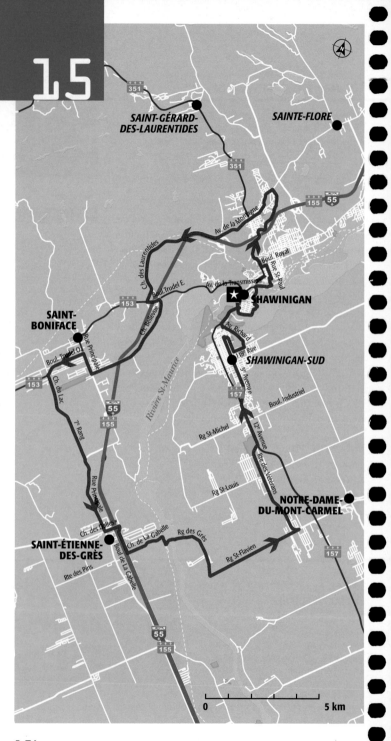

15

SAINT-GÉRARD-
DES-LAURENTIDES

SAINTE-FLORE

SHAWINIGAN

SAINT-
BONIFACE

SHAWINIGAN-SUD

NOTRE-DAME-
DU-MONT-CARMEL

SAINT-ÉTIENNE-
DES-GRÈS

Av. de la Montagne

Boul. Royal

Rue St-Paul

Av. de la Transmission

Ch. des Laurentides

Boul. Trudel E.

Ch. Bellevue

Rue Principale

Boul. Trudel O.

Ch. du Lac

7e Rang

Rue Principale

Ch. des Dalles

Ch. de La Gabelle

Boul. de La Gabelle

Rg des Grés

Rte des Pins

Rg St-Flavien

Av. Richard

11e Rue

5e Avenue

Boul. Industriel

12e Avenue

Rg St-Michel

Rg des Vétérans

Rg St-Louis

Rivière St-Maurice

351

351

155

55

153

153

55

155

157

55

155

157

0   5 km

PARCOURS PROPOSÉ PAR
JEAN-FRANÇOIS PRONOVOST, SAINT-STANISLAS

«Ce parcours a tout ce que j'aime de la Mauricie et de Portneuf : des rivières, le fleuve Saint-Laurent, un mélange de terres et de forêts, de même que le riche patrimoine architectural des villages qu'on retrouve sur cette portion de la Route verte qui se confond avec le chemin du Roy.»

chitecture et le charme des maisons d'un autre temps jalousement conservées. Les montées étant pratiquement inexistantes, n'hésitez pas à vous munir de sacoches qui augmenteront le poids de votre monture. Vous trouverez une foule d'occasions de les remplir de bons produits locaux : pommes, fromage, vin et plus encore ! Voici donc un parcours (et des produits) qu'on a envie de savourer lentement, question de faire durer le plaisir...

UNE PAUSE Au km 36,7, derrière une église, une petite halte est aménagée face au fleuve.

PETITS PLAISIRS

LIQUEURS ET FROMAGE

Les liqueurs des **Boissons du Roy**, élaborées à partir de petits fruits, envoûtent qui les goûte. Le Pérado (bleuets, dattes, figues et cassis), avec ses 19 % d'alcool, vaut à lui seul le détour !

740, rue Principale
Sainte-Anne-de-la-Pérade
418 325-2707

Au km 23,0, arrêtez-vous à la **Fromagerie des Grondines** pour déguster un de ses fromages de lait cru.

274, 2ᵉ Rang Est
Deschambault-Grondines
418 268-4969

ROSE BONBON
60, rue Sainte-Anne, Sainte-Anne-de-la-Pérade
418 325-2744

Une adresse sympa pour le petit déjeuner, le lunch et même le souper, où l'on propose un menu varié : burgers, pizza, table d'hôte, vin et bières en fût. Terrasse en été. Amateur de confiseries? Descendez au sous-sol et laissez-vous tenter.

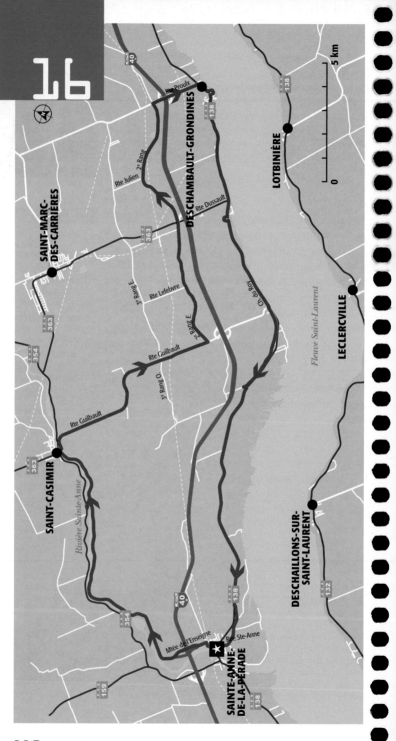

16

5 km

0

SAINT-MARC-
DES-CARRIÈRES

DESCHAMBAULT-GRONDINES

LOTBINIÈRE

LECLERCVILLE

DESCHAILLONS-SUR-
SAINT-LAURENT

SAINT-CASIMIR

SAINTE-ANNE-
DE-LA-PÉRADE

Rte Proulx

Rte Julien

2ᵉ Rang

138

40

138

Rte Dussault

363

Ch. du Roy

Fleuve Saint-Laurent

3ᵉ Rang E.

Rte Lefebvre

2ᵉ Rang E.

Rte Guilbault

3ᵉ Rang O.

363

354

Rte Guilbault

363

Rivière Sainte-Anne

354

159

40

138

Mtée de l'Enseigne

Rte Ste-Anne

138

132

PARCOURS PROPOSÉ PAR
PAUL MACKENZIE, SAINTE-CATHERINE-DE-HATLEY

« J'aime bien ce circuit pour le dénivelé exigeant typique des Cantons-de-l'Est, la circulation modérée et les splendides villages qu'on traverse et où on peut s'arrêter pour récupérer. »

resque, et le soin que ses habitants apportent à leur résidence est réjouissant.

De niveau relativement difficile, le circuit ne comporte toutefois pas de montées interminables au dénivelé élevé. Les élévations étant souvent précédées d'une belle descente, si on sait garder son élan, leur ascension sera plus aisée. Parcours roulant ! Si vous êtes du type cyclotouriste et que votre vélo est doté de sacoches, prenez garde de trop les remplir à votre départ : vous pourrez, au fil du parcours, les garnir de bouteilles de vin, de fromages, de quelques pots de confitures... le tout chez des producteurs locaux. Les derniers kilomètres sont plus ardus lorsqu'on est ainsi chargé, mais ça vaut le coup !

UNE PAUSE Ce parcours traverse plusieurs villages. Dans chacun d'eux, il est possible de dénicher un petit coin à l'ombre pour casser la croûte. Au km 59,0, une halte municipale offre quelques tables de pique-nique et des toilettes.

PETIT PLAISIR

DU FROMAGE... BIO, S.V.P.

Au km 42,4, ne passez pas tout droit devant la **Fromagerie La Station** de Compton. On y fabrique des fromages au lait cru certifiés biologiques. Quelques tables sont disposées sur une petite terrasse où on sert un sublime *grilled cheese*. En prime : crèmes glacées artisanales. Vous saluerez Chef, le magnifique et nonchalant bouvier bernois.

440, ch. de Hatley
Compton
819 835-5301
fromagerielastation.com

✗ GUACAMOLE Y TEQUILA
112, rue Principale Ouest, Magog
819 868-0088

Aux fourneaux, des cuisiniers mexicains ; dans l'assiette, une cuisine typique de ce pays – une adresse exotique en plein cœur de Magog. Il y a un bon choix de bières et de tequila, et l'accueil est très sympa. En haute saison, prévoyez réserver !

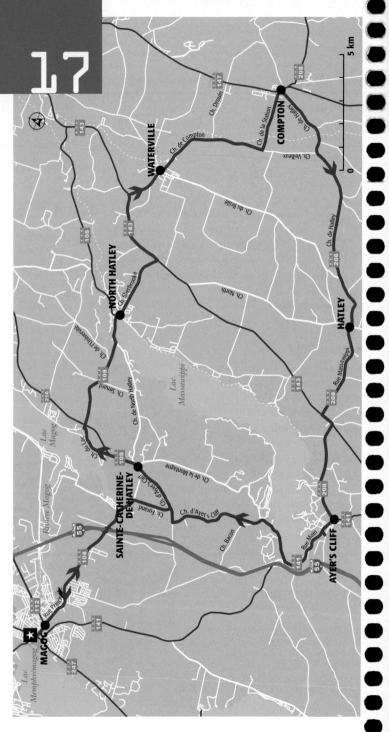

17

WATERVILLE

COMPTON

NORTH HATLEY

HATLEY

SAINTE-CATHERINE-DE-HATLEY

AYER'S CLIFF

MAGOG

Lac Memphrémagog

Lac Magog

Rivière Magog

Lac Massawippi

Ch. Drouin

Ch. de Compton

Ch. de la Station

Ch. de Hatley

Ch. Veilleux

Ch. du Brûlé

Ch. de Hatley

Ch. Sherbrooke

Ch. de l'Université

Ch. Simard

Ch. North

Rue Massawippi

Ch. de North Hatley

Ch. de la Montagne

Ch. Forand

Ch. d'Ayer's Cliff

Ch. d'Ayer's Cliff

Ch. Bacon

Rue Main

Rue Principale

5 km

0

143

147

208

108

143

108

216

108

208

143

208

55

108

141

141

55

112

141

247

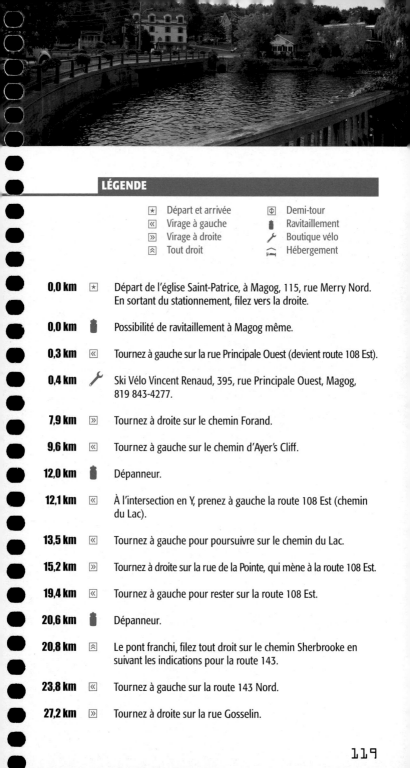

LÉGENDE

⋆	Départ et arrivée	⊕	Demi-tour
«	Virage à gauche	🯄	Ravitaillement
»	Virage à droite	🔧	Boutique vélo
⌃	Tout droit	🏠	Hébergement

0,0 km ⋆ Départ de l'église Saint-Patrice, à Magog, 115, rue Merry Nord. En sortant du stationnement, filez vers la droite.

0,0 km 🯄 Possibilité de ravitaillement à Magog même.

0,3 km « Tournez à gauche sur la rue Principale Ouest (devient route 108 Est).

0,4 km 🔧 Ski Vélo Vincent Renaud, 395, rue Principale Ouest, Magog, 819 843-4277.

7,9 km » Tournez à droite sur le chemin Forand.

9,6 km « Tournez à gauche sur le chemin d'Ayer's Cliff.

12,0 km 🯄 Dépanneur.

12,1 km « À l'intersection en Y, prenez à gauche la route 108 Est (chemin du Lac).

13,5 km « Tournez à gauche pour poursuivre sur le chemin du Lac.

15,2 km » Tournez à droite sur la rue de la Pointe, qui mène à la route 108 Est.

19,4 km « Tournez à gauche pour rester sur la route 108 Est.

20,6 km 🯄 Dépanneur.

20,8 km ⌃ Le pont franchi, filez tout droit sur le chemin Sherbrooke en suivant les indications pour la route 143.

23,8 km « Tournez à gauche sur la route 143 Nord.

27,2 km » Tournez à droite sur la rue Gosselin.

PAUL MACKENZIE
NOUS A DIT...

«Quand on pratique le vélo de route, il est
plutôt rare d'avoir à faire du portage, mais ici, il
est possible que ça arrive. En effet, la crue printanière 2011 a rendu une partie du
chemin de la Station totalement impraticable...»

LÉGENDE

⋆	Départ et arrivée	⊕	Demi-tour
⫷	Virage à gauche	🍶	Ravitaillement
⫸	Virage à droite	🔧	Boutique vélo
⌃	Tout droit	🏠	Hébergement

29,0 km 🍶 Dépanneur.

29,0 km ⫸ Tournez à droite sur la rue Principale Sud.

29,2 km ⫷ Tournez à gauche sur le chemin de Compton.

34,3 km ⫷ Tournez à gauche sur le chemin de la Station.

37,0 km ⫸ Tournez à droite sur la route Louis-S.-Saint-Laurent.

37,1 km ⫸ Tournez à droite sur la route 208 Ouest (chemin de Hatley).

48,6 km ⫸ Tournez à droite pour poursuivre sur la route 208 Ouest.

48,7 km ⫷ Tournez à gauche pour poursuivre sur la route 208 Ouest (rue Massawippi).

52,9 km ⫷ Au bout de la route, tournez à gauche (routes 143 Sud/208 Ouest).

53,5 km ⫸ Tournez à droite pour poursuivre sur la route 208 Ouest.

57,9 km 🍶 Dépanneur.

57,9 km ⫸ Tournez à droite sur la rue Main.

61,1 km ⫸ Tournez à droite sur le chemin d'Ayer's Cliff.

68,3 km ⫷ Tournez à gauche sur le chemin Forand.

70,1 km ⫷ Tournez à gauche sur la route 108 Ouest (devient rue Principale Est).

77,7 km ⫸ Tournez à droite sur la rue Merry Nord.

77,9 km ⋆ De retour à votre point de départ.

RÉGION
Centre-du-Québec

[Victoriaville › Sainte-Élizabeth-de-Warwick › Kingsey Falls ›
Warwick › Saint-Christophe-d'Arthabaska › Victoriaville]

DISTANCE	NIVEAU	DÉNIVELÉ POSITIF
60,0 km	●●●○○	293 m

S'Y RENDRE

De l'autoroute 20,
prendre la
sortie 210 et
poursuivre sur la
route 161 Est, qui
devient le
boulevard Jutras
Ouest à
Victoriaville.
Tourner à gauche
sur la rue Notre-
Dame Ouest, puis à
gauche sur la rue
De Bigarré et filer
jusqu'à la Vélogare
du Grand-Tronc, au
20 de la même rue.
Stationnement
disponible.

La route des fromages

Il existe des coins de pays formatés pour la pratique du vélo, et Victoriaville en est un bel exemple. En effet, le terrain environnant se prête à merveille à l'exercice de la petite reine. Pour vous en donner une idée, voici une jolie boucle qui mène à travers champs et collines, où paissent de belles vaches dont le lait très convoité fait le bonheur des multiples fromagers du coin.

Ce parcours, qui épouse les régions naturelles des basses terres du Saint-Laurent et des basses terres appalachiennes, commence à la Vélogare du Grand-Tronc, petite merveille conçue pour accueillir les cyclistes (on a même mis des douches à leur disposition). Après une brève incursion sur la piste cyclable, on retourne sur une route sans grand relief. La première portion n'est pas très difficile, seuls quelques faux plats ou de courtes

AU FIL DES SAISONS
14, rue Laurier Ouest, Victoriaville
819 357-7307
aufildessaisons.qc.ca
Cette auberge huppée offre cinq chambres dans un superbe bâtiment victorien datant de 1890. De longs balcons courent tout autour de la résidence. Grands jardins, piscine, foyer et wifi.

Les établissements certifiés Bienvenue cyclistes ! sont répertoriés à routeverte.com/bienvenuecyclistes.

« J'aime bien venir rouler sur ce parcours, car il me donne l'occasion de me réchauffer adéquatement avant d'aborder les montées. Il traverse des paysages forts variés et de jolis villages où on peut boire un café ou acheter un fromage chez un producteur local. »

montées venant déjouer le plat horizon. À Sainte-Élizabeth-de-Warwick, un coquet village fort couru par les amateurs de fromage, prenez le temps de flâner ; le réputé fromage Le Bleu d'Élizabeth de la Fromagerie du Presbytère a d'ailleurs récolté plusieurs honneurs.

En approchant de Warwick, la plaine vient se rompre sur le piémont appalachien. S'amorce alors la seconde portion du trajet, plus escarpée. L'effort de la grimpe en vaut la chandelle : une enfilade de panoramas défile sur plusieurs kilomètres. La plaine s'étend à l'infini alors qu'à l'intérieur des terres, les collines se dressent dans le paysage. En fin de balade, l'occasion est belle de visiter l'intéressant musée Laurier situé dans la partie victorienne de Victoriaville.

UNE PAUSE À Warwick, au km 40,1, l'ancienne gare a été restaurée en superbe halte cycliste. Information touristique et exposition de joyaux du patrimoine régional sur place. 169, rue Saint-Louis.

PETIT PLAISIR

MAÎTRE CORBEAU
Pour vous requinquer, rien de mieux qu'un petit arrêt à la **Maison des fromages**, située sur le parcours, en plein cœur de Warwick. Belle occasion de découvrir les fromages qui font la fierté de la région tout en dégustant un bon café. Confortable terrasse.

5, rue Saint-Joseph
Warwick
819 358-4477

✗ RESTAURANT JAUNE TOMATE
117, rue Saint-Jean-Baptiste, Victoriaville
819 758-1743
jaunetomate.ca
Situé au centre-ville de Victoriaville dans une résidence construite en 1897, ce restaurant petit et intimiste met à l'honneur les cuisines italienne et indienne. Vous pouvez apporter votre vin et savourer le tout sur une agréable terrasse chauffée.

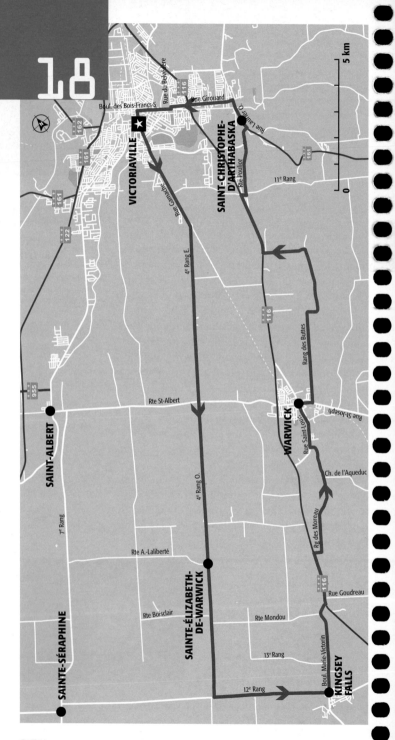

Rue du Belvédère

Rue Girouard

Boul. des Bois-Francs S.

116

161

102

161

122

955

VICTORIAVILLE

SAINT-CHRISTOPHE-
D'ARTHABASKA

Rue Laurier O.

Rte Foullor

11e Rang

81

Rue Camaraphe

4e Rang E.

Rte St-Albert

SAINT-ALBERT

7e Rang

SAINTE-SÉRAPHINE

4e Rang O.

Rte A.-Laliberté

Rte Boisclair

SAINTE-ÉLIZABETH-
DE-WARWICK

116

Rang des Buttes

WARWICK

Rue St-Joseph

Rue Saint-Louis

Ch. de l'Aqueduc

Rg des Moreau

Rte Mondou

13e Rang

12e Rang

Boul. Marie-Victorin

116

Rue Goudreau

KINGSEY
FALLS

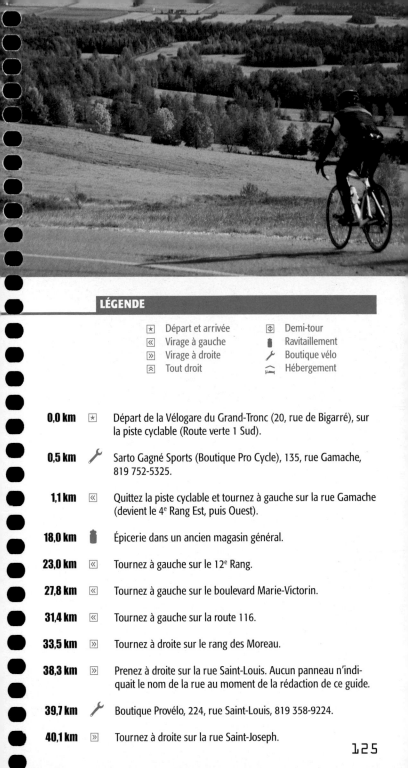

LÉGENDE

⊠	Départ et arrivée	⊡	Demi-tour
≪	Virage à gauche	▮	Ravitaillement
≫	Virage à droite	⚒	Boutique vélo
⊠	Tout droit	⌂	Hébergement

0,0 km ⊠ Départ de la Vélogare du Grand-Tronc (20, rue de Bigarré), sur la piste cyclable (Route verte 1 Sud).

0,5 km ⚒ Sarto Gagné Sports (Boutique Pro Cycle), 135, rue Gamache, 819 752-5325.

1,1 km ≪ Quittez la piste cyclable et tournez à gauche sur la rue Gamache (devient le 4e Rang Est, puis Ouest).

18,0 km ▮ Épicerie dans un ancien magasin général.

23,0 km ≪ Tournez à gauche sur le 12e Rang.

27,8 km ≪ Tournez à gauche sur le boulevard Marie-Victorin.

31,4 km ≪ Tournez à gauche sur la route 116.

33,5 km ≫ Tournez à droite sur le rang des Moreau.

38,3 km ≫ Prenez à droite sur la rue Saint-Louis. Aucun panneau n'indiquait le nom de la rue au moment de la rédaction de ce guide.

39,7 km ⚒ Boutique Provélo, 224, rue Saint-Louis, 819 358-9224.

40,1 km ≫ Tournez à droite sur la rue Saint-Joseph.

CHRISTINE MARCOUX NOUS A DIT...

«Lorsque vous entamez le rang des Moreau, sachez que les gens du coin le nomment affectueusement le rang des Fesses. Non, ce n'est pas pour la raison que vous croyez, mais plutôt à cause des formes arrondies du paysage, qui ressemblent à cette partie dodue de notre anatomie...»

LÉGENDE

⋆	Départ et arrivée	⊡	Demi-tour
≪	Virage à gauche	▮	Ravitaillement
≫	Virage à droite	⚒	Boutique vélo
⚏	Tout droit	⌂	Hébergement

40,1 km	▮	Dépanneur.
40,7 km	≪	Tournez à gauche sur le rang des Buttes (soyez attentif, c'est une toute petite rue).
47,2 km	≪	Tournez à gauche pour poursuivre sur le rang des Buttes.
48,9 km	≫	Tournez à droite sur la route 116.
51,4 km	≫	Tournez à droite sur le rang Chicago.
51,5 km	≪	Tournez à gauche sur la route Pouliot.
53,7 km	≫	Tournez à droite sur l'avenue Pie-X (route 161).
54,3 km	≪	Tournez à gauche sur la rue Laurier Ouest. Aucun panneau n'indiquait le nom de la rue au moment de la rédaction de ce guide.
55,6 km	≪	Tournez à gauche sur la rue Girouard.
57,4 km	▮	Épicerie.
58,0 km	≪	Tournez à gauche sur la rue du Belvédère.
58,1 km	≫	Tournez à droite sur le boulevard des Bois-Francs Sud.
58,6 km	≪	Prenez à gauche pour emprunter la piste cyclable.
60,0 km	⋆	De retour à votre point de départ.

19

[Hébertville › Métabetchouan–Lac-à-la-Croix › Saint-Gédéon › Saint-Bruno › Hébertville-Station › Hébertville]

DISTANCE	NIVEAU	DÉNIVELÉ POSITIF
69,9 km	●●○○○	82 m

S'Y RENDRE

Prendre la route 169 Nord jusqu'à Hébertville. À l'entrée du village, tourner à droite sur la rue Turgeon et poursuivre jusqu'à l'église située au 251. Stationnement disponible.

De lacs et de plaines

Ce coin du Royaume du Saguenay se distingue par sa grande plaine qui, à maints égards mais à plus petite échelle, ressemble à celle du Saint-Laurent. Les terres fertiles propres à une agriculture maraîchère de premier plan sont sillonnées de tranquilles routes campagnardes sans grand relief où seuls quelques petits vallons viennent rompre l'uniformité du plat pays. Et pour couronner le tout, le magnifique lac Saint-Jean et ses belles plages... Ce parcours est taillé sur mesure pour une escapade estivale !

Le départ a lieu à l'église d'Hébertville. Les premiers kilomètres longent une petite rivière qui coule paresseusement à la base du piémont laurentien. Quelques buttes émaillent le début du trajet. Plus loin, le lac Vert baigne le pied de grosses collines. Au fil du parcours, la présence

Bienvenue cyclistes!

AUBERGE PRESBYTÈRE MONT LAC-VERT
335, rg du Lac-Vert, Hébertville
418 344-1548
aubergepresbytere.com
Cette douillette auberge aménagée dans un ancien presbytère est située au pied des montagnes, sur le parcours même. L'endroit est isolé et silencieux. Restauration sur place.

Les établissements certifiés Bienvenue cyclistes ! sont répertoriés à routeverte.com/bienvenuecyclistes.

PARCOURS PROPOSÉ PAR
CARL LAROUCHE, ALMA

« Ce parcours se distingue par ses paysages variés. Il convient à tous parce qu'on roule surtout sur du plat, avec quelques vallons. C'est un circuit que j'emprunte régulièrement pour mon entraînement, car il m'offre diverses possibilités. »

agricole s'impose ; ici et là, des étals regorgent de fruits et de légumes frais. Au bout d'une petite montée, soudain, sans avertissement, la route débouche sur le lac Saint-Jean ; une mer d'un bleu infini se profile à l'horizon. L'effet est saisissant. À Métabetchouan–Lac-à-la-Croix, on peut profiter de la sablonneuse plage publique pour faire trempette. Par la suite, on roule quelques kilomètres sur la piste cyclable de la Véloroute des Bleuets ; un beau bitume et des passages bucoliques à l'écart de la circulation routière, ce n'est jamais à dédaigner. De retour sur le circuit routier, on regagne l'intérieur des terres, toujours sur des routes délaissées par les voitures. Du bonbon !

UNE PAUSE À l'entrée du secteur Métabetchouan, arrêtez-vous à la halte routière nichée sur les hauteurs d'une ancienne terrasse marine, un des plus beaux panoramas sur le lac Saint-Jean. Il y a également une halte au km 8,3 et une plage au km 34,0.

PETIT PLAISIR

FAIRE LE PLEIN
Pour refaire le plein d'énergie, rien de tel qu'un arrêt à **La Tablée**. L'endroit, fréquenté par les membres du club de vélo du coin, Accro Vélo d'Alma, propose de bons chocolats mais aussi d'excellents mets cuisinés sur place.

1716, rte 169
Métabetchouan–
Lac-à-la-Croix

✗ MICROBRASSERIE DU LAC SAINT-JEAN
120, rue de la Plage, Saint-Gédéon
418 345-8758
microdulac.com
Ce bistro chaleureux, à deux coups de pédale du lac, brasse sur place une vingtaine de bières, dont la Gros Mollet, toute désignée pour les cyclistes. Côté menu, on y sert d'excellents paninis – essayez celui au magret de canard fumé.

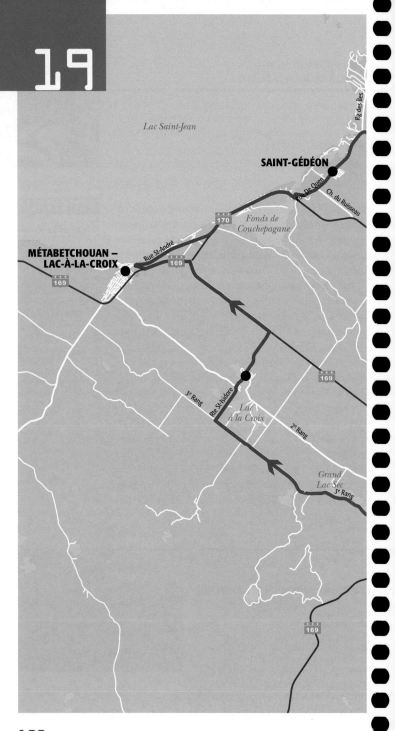

SAINT-GÉDÉON

MÉTABETCHOUAN –
LAC-À-LA-CROIX

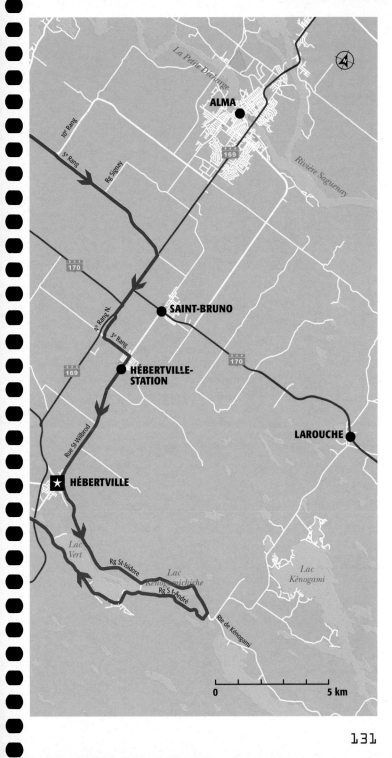

19

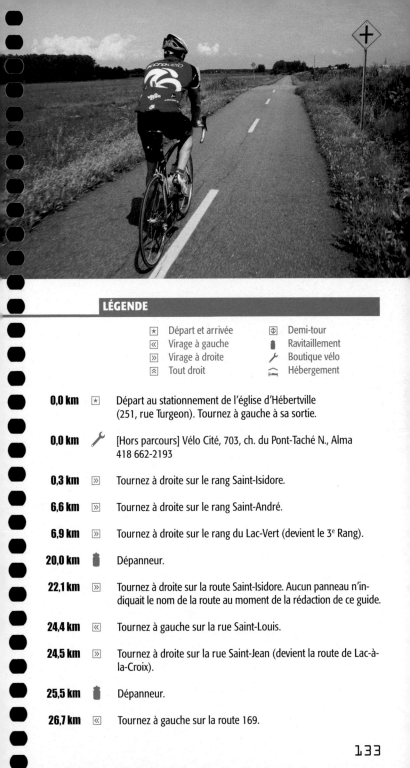

LÉGENDE

⋆	Départ et arrivée	⊕	Demi-tour
⟪	Virage à gauche	🥤	Ravitaillement
⟫	Virage à droite	🔧	Boutique vélo
⇧	Tout droit	⌂	Hébergement

0,0 km ⋆ Départ au stationnement de l'église d'Hébertville (251, rue Turgeon). Tournez à gauche à sa sortie.

0,0 km 🔧 [Hors parcours] Vélo Cité, 703, ch. du Pont-Taché N., Alma 418 662-2193

0,3 km ⟫ Tournez à droite sur le rang Saint-Isidore.

6,6 km ⟫ Tournez à droite sur le rang Saint-André.

6,9 km ⟫ Tournez à droite sur le rang du Lac-Vert (devient le 3ᵉ Rang).

20,0 km 🥤 Dépanneur.

22,1 km ⟫ Tournez à droite sur la route Saint-Isidore. Aucun panneau n'indiquait le nom de la route au moment de la rédaction de ce guide.

24,4 km ⟪ Tournez à gauche sur la rue Saint-Louis.

24,5 km ⟫ Tournez à droite sur la rue Saint-Jean (devient la route de Lac-à-la-Croix).

25,5 km 🥤 Dépanneur.

26,7 km ⟪ Tournez à gauche sur la route 169.

19

ON NOUS A DIT...

Selon certaines rumeurs, l'armée américaine aurait testé dans la région des dispositifs climatiques émettant des basses fréquences dans l'objectif de modifier la météo... Un autre déluge en vue?

LÉGENDE

★	Départ et arrivée	⬇	Demi-tour
≪	Virage à gauche	🍶	Ravitaillement
≫	Virage à droite	🔧	Boutique vélo
⌃	Tout droit	🛏	Hébergement

31,5 km ≪ Prenez à gauche pour poursuivre sur la route 169.

33,5 km ≫ Tournez à droite sur la rue Saint-André.

34,0 km ≫ Tournez à droite pour emprunter la piste cyclable de la Véloroute des Bleuets.

41,8 km ≪ Sortie de la piste cyclable. Tournez à gauche sur la route 170.

42,1 km ≪ Tournez à gauche pour emprunter de nouveau la piste cyclable.

42,8 km ≪ Prenez à gauche sur la rue De Quen.

44,1 km 🍶 Dépanneur.

48,2 km ≫ Tournez à droite sur le 5e Rang.

54,7 km ≫ Prenez à droite sur la route 169.

57,3 km ≪ Tournez à gauche sur le 4e Rang.

57,4 km ≫ Prenez à droite sur le 4e Rang Sud. Aucun panneau n'indiquait le nom de la route au moment de la rédaction de ce guide.

59,0 km ≪ Tournez à gauche sur la rue Saint-Jean-Baptiste. Aucun panneau n'indiquait le nom de la route au moment de la rédaction de ce guide.

60,4 km ≫ Prenez à droite sur la rue Saint-Wilbrod (devient rue Turgeon).

69,3 km 🍶 Dépanneur.

69,9 km ★ De retour à votre point de départ.

[Plessisville › Sainte-Sophie-d'Halifax › Saint-Jean-de-Brébeuf › Inverness › Saint-Pierre-Baptiste › Plessisville]

DISTANCE	NIVEAU	DÉNIVELÉ POSITIF
80,6 km	●●●●○	731 m

S'Y RENDRE

De l'autoroute 20, prendre la sortie 228. Suivre la route 165 et les indications pour Plessisville jusqu'à la rue Saint-Calixte. Départ de l'église Saint-Calixte située à l'intersection de la rue Saint-Calixte et de l'avenue des Érables. Stationnement disponible.

Un secret (trop) bien gardé

Pourquoi si peu de cyclistes empruntent-ils les routes, les chemins et les rangs du Centre-du-Québec ? Le mystère reste entier. Toutes les conditions sont pourtant réunies : quiétude des routes, bonne qualité de la chaussée et paysages admirables. Le parcours proposé ici peut être bouclé en une ou deux étapes. Avec ses 80 km et son dénivelé assez exigeant (les Appalaches ne sont pas loin), on peut y aller mollo et le faire en deux jours – un gîte sympathique a pignon sur rue à mi-parcours –, ou alors on le boucle en une seule journée. Le ravitaillement étant assez rare, prévoyez deux bidons à votre départ de Plessisville. Si vous avez la chance de vous y rendre au début d'octobre, le plaisir en sera décuplé, car vous pourrez contempler les couleurs de l'automne au pays de l'érable tout en roulant paisiblement. On se trouve en

LA MAISON DOUCE
1326, rue Saint-Calixte, Plessisville
819 362-2896
lamaisondouce.ca
Cette belle maison victorienne érigée en 1890 a conservé tout son cachet. Elle offre quatre chambres, des espaces communs, un accueil chaleureux et de copieux petits déjeuners.

Les établissements certifiés Bienvenue cyclistes ! sont répertoriés à routeverte.com/bienvenuecyclistes.

« Qui voudra bien mettre un minimum d'effort dans son coup de pédale découvrira un parcours magnifique où le relief des Appalaches est dévoilé dans toute sa splendeur. La très faible circulation automobile vous fera apprécier ces routes historiques méconnues du Centre-du-Québec. »

pleine région rurale : au passage, on découvre des troupeaux de vaches, de brebis et même de cerfs. Jamais confiné entre deux rangées d'arbres, on voit toujours au loin. Au tiers du parcours, on emprunte le célèbre chemin Craig que le gouverneur du Bas-Canada, James Henry Craig, fit tracer en 1810 dans le dessein d'encourager l'immigration anglophone dans les terres encore inhabitées des Cantons-de-l'Est. Ce chemin fut construit en un temps record de trois mois, le gouverneur ayant fait appel à la Garnison de Québec pour ce faire. On pouvait désormais se rendre de Québec à Boston en un temps record de... six jours. Au bout de ce chemin, alors qu'on franchit les limites de Saint-Jean-de-Brébeuf, on quitte le Centre-du-Québec le temps d'une petite incursion dans la région Chaudière-Appalaches.

UNE PAUSE Les endroits pour s'arrêter pique-niquer sont rares. On peut toutefois s'asseoir sur les marches de l'église d'un des villages traversés pour prendre une pause et une bouchée.

PETIT PLAISIR

TRÉSORS DE L'ÉRABLE

Vous avez la dent sucrée ? Un arrêt s'impose à la boutique **Fruit d'érable**. On y vend une panoplie d'aliments préparés à base de sucre ou de sirop d'érable, mais aussi des produits régionaux telle la confiture aux canneberges et à... l'érable.

473, rte de l'Église
Saint-Pierre-Baptiste
418 453-2288

BISTRO DE LA RATATOUILLE
2165, rue Saint-Calixte, Plessisville
819 362-6368
bistrolaratatouille.com
Une adresse vraiment sympa où monsieur est aux fourneaux et madame est en salle. La carte, courte, comporte des plats dans lesquels on a mis le plus grand soin. Le tartare de bœuf est exquis, tout comme les frites avec lequel il est servi. Service très attentionné.

137

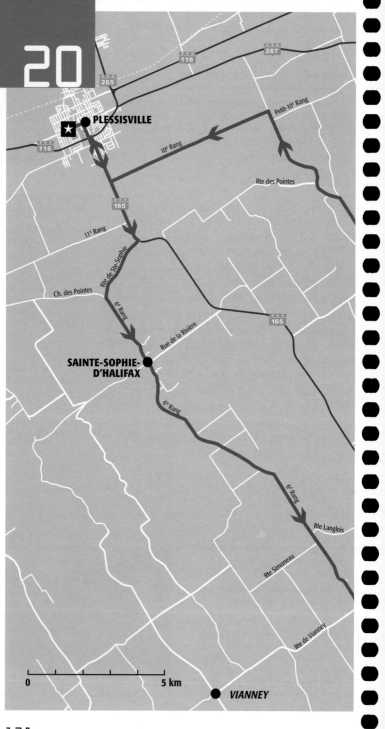

20

267

116

265

PLESSISVILLE

Petit-10ᵉ Rang

10ᵉ Rang

Rte des Pointes

116

165

11ᵉ Rang

Rte de Ste-Sophie

Ch. des Pointes

6ᵉ Rang

165

Rue de la Rivière

SAINTE-SOPHIE-
D'HALIFAX

6ᵉ Rang

6ᵉ Rang

Rte Langlois

Rte Simoneau

Rte de Vianney

0   5 km

VIANNEY

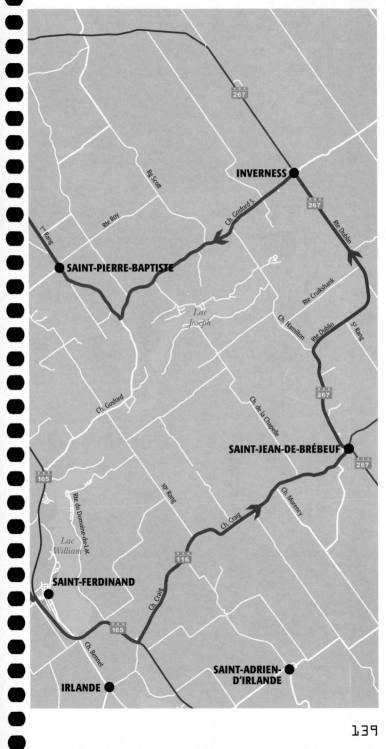

INVERNESS

SAINT-PIERRE-BAPTISTE

Rg Scott

Rte Roy

1ᵉʳ Rang

Ch. Gosford S.

Lac Joseph

Ch. Gosford

Rte Dublin

Rte Cruikshank

Ch. Hamilton

Rte Dublin

5ᵉ Rang

267

267

267

Ch. de la Chapelle

SAINT-JEAN-DE-BRÉBEUF

165

Rte du Domaine-du-Lac

Lac William

10ᵉ Rang

Ch. Craig

Ch. Morency

116

SAINT-FERDINAND

Ch. Craig

165

Ch. Bennet

IRLANDE

SAINT-ADRIEN-D'IRLANDE

LÉGENDE

⋆	Départ et arrivée	⊕	Demi-tour
≪	Virage à gauche	🜚	Ravitaillement
≫	Virage à droite	🔧	Boutique vélo
⌃	Tout droit	🏠	Hébergement

0,0 km ⋆ Le point de départ est situé à l'église Saint-Calixte (1460, rue Saint-Calixte), à l'intersection de l'avenue des Érables. Filez vers la droite sur la rue Saint-Calixte.

0,0 km 🔧 [Hors parcours] Les Mécanos du vélo, 90, boulevard Jutras Est, Victoriaville, 819 758-2225.

0,4 km ≫ Tournez à droite sur l'avenue Saint-Édouard.

1,0 km ≪ Tournez à gauche sur la route 116.

1,1 km ≫ Tournez à droite sur la route 165.

5,1 km ≫ Tournez à droite sur la route de Sainte-Sophie.

7,5 km ≪ Tournez à gauche sur le 6e Rang (devient rue Principale).

10,0 km 🜚 Dépanneur. Attention : fermé le dimanche.

10,9 km ≫ Tournez à droite sur 6e Rang.

16,9 km ≫ Bifurquez légèrement vers la droite pour demeurer sur le 6e Rang.

22,4 km ≪ Tournez à gauche sur la côte de l'Église.

22,6 km ≫ Tournez à droite sur la route 165.

27,0 km ≪ Tournez à gauche sur le chemin Craig.

40,0 km 🏠 Si vous faites le parcours en deux étapes, vous voici à l'escale. L'auberge À l'Aurore boréale, sise au 612, propose de belles chambres et une bonne table ; on peut y apporter son vin. Garage verrouillé pour vos vélos. Si vous faites le parcours en une seule journée, poursuivez votre route.

40,4 km ≪ Tournez à gauche sur la route 267 (route Dublin).

40,4 km 🜚 Dépanneur.

RENALD CHABOT
NOUS A DIT...

«Il y a quelques années, le Grand Tour
empruntait une partie de ce parcours. J'ai cru
un moment que c'était la longue côte de la
route de Sainte-Sophie qui en avait forcé plusieurs à mettre pied à terre au beau milieu
de la montée... mais peut-être était-ce simplement le désir de prendre le temps
d'apprécier le paysage à sa juste valeur?
Allez savoir...»

LÉGENDE

★	Départ et arrivée	⊡	Demi-tour
≪	Virage à gauche		Ravitaillement
≫	Virage à droite	🔧	Boutique vélo
≪	Tout droit	🏠	Hébergement

52,3 km ≪ Tournez à gauche sur la rue Gosford Sud (devient chemin Gosford Sud).

61,0 km ≫ Tournez à droite sur le 1er Rang (rue Principale).

67,1 km ≪ Tournez à gauche sur la route des Pointes.

68,1 km ≪ Continuez tout droit pour aller sur la route Bellemare (devient route Lachance).

71,4 km ≪ Tournez à gauche sur le 10e Rang.

77,8 km ≫ Tournez à droite sur la route 165.

79,2 km ≪ Tournez à gauche sur le boulevard des Sucreries.

79,3 km ≫ Tournez à droite sur l'avenue Saint-Édouard.

80,0 km ≪ Tournez à gauche sur la rue Saint-Calixte.

80,6 km ★ De retour à votre point de départ.

21

[Stoneham-et-Tewkesbury › Québec (Charlesbourg) › Wendake › Saint-Gabriel-de-Valcartier › Stoneham-et-Tewkesbury]

DISTANCE	NIVEAU	DÉNIVELÉ POSITIF
78,0 km	●●●●○	**221 m**

S'Y RENDRE

De l'autoroute 73, prendre la sortie 167. Tourner à gauche sur la route de Tewkesbury (route 371) pour rapidement prendre à droite la 1re Avenue. Poursuivre jusqu'au bureau d'information touristique (117, 1re Avenue). Stationnement disponible.

La route des équerres

Voici un trajet aux multiples visages. Une partie sillonne le massif montagneux laurentien alors que le reste se déploie dans un environnement plus urbain, la grande banlieue nord de la ville de Québec.

Ce parcours plutôt pentu est surnommé par les gens du coin « route des équerres » en raison de ses nombreux virages à 90˚ et de ses fortes déclivités. Comme point de départ : le joli bureau d'information touristique de Stoneham, qui occupe l'ancien presbytère du village. Rapidement, la route s'élève pour gagner le cœur de l'imposante forêt mixte. Ici et là, quelques passages frôlant les 15 % sollicitent l'organisme. Mais heureusement, les côtes ne sont pas trop longues, et une descente salvatrice mène au paisible hameau de Tewkesbury. Au détour d'une courbe, la rivière Jacques-Cartier

LES CHALETS ALPINS
369, ch. du Hibou, Stoneham-et-Tewkesbury
418 848-4888
chaletsalpins.ca
Ces chalets et condominiums tout équipés, au pied de la station de ski Stoneham, jouissent d'une vue imprenable sur les pistes. Ils sont de plus en plus prisés par des clubs cyclistes qui viennent en gang rouler dans les environs.

Les établissements certifiés Bienvenue cyclistes ! sont répertoriés à routeverte.com/bienvenuecyclistes.

« Le parcours suggéré offre des paysages magnifiques et de bonnes montées, mais aussi des descentes vertigineuses. Vous découvrirez des lieux demeurés sauvages. Et cette randonnée est encore plus exceptionnelle dans les couleurs flamboyantes de l'automne ! »

fait jaillir ses eaux tumultueuses, qu'on longe sur plusieurs kilomètres. Après l'exercice de grimpe, on descend graduellement rejoindre la piste cyclable du corridor des Cheminots, une petite merveille au bitume impeccable. Profitez de ce replat pour refaire vos forces. Vous pouvez également relaxer un peu en allant visiter l'hôtel-musée Premières Nations qui jouxte la piste cyclable (voir texte à droite). On traverse ensuite une vieille partie de l'arrondissement de Charlesbourg, admirablement bien préservé. Prenez la peine d'y admirer le patrimoine bâti. Encore un peu de grimpe et vous terminez ce parcours à la fois exigeant et exaltant.

UNE PAUSE Plusieurs haltes agréables jalonnent la piste cyclable du corridor des Cheminots (entre les km 39,8 et 55,2). Profitez-en pour récupérer un brin.

PETIT PLAISIR

SAVEURS AUTOCHTONES
À l'**hôtel-musée Premières Nations**, vous pouvez déguster, sur une superbe terrasse, des mets aux notes huronnes harmonisées au goût de notre époque. L'architecture de l'établissement est remarquable.

5, pl. de la Rencontre
Wendake
418 847-2222

✕
RESTAURANT SAINT PETER
271, ch. St. Peters, Stoneham-et-Tewkesbury
418 848-2001
st-peter.ca

Le Saint Peter est un incontournable à Stoneham. Ce restaurant d'allure plutôt décontractée, aménagé dans une ancienne école de rang, sert une cuisine variée pour tous les goûts. Sur le même menu, les plats de nachos côtoient le veau de Charlevoix. Terrasse extérieure.

145

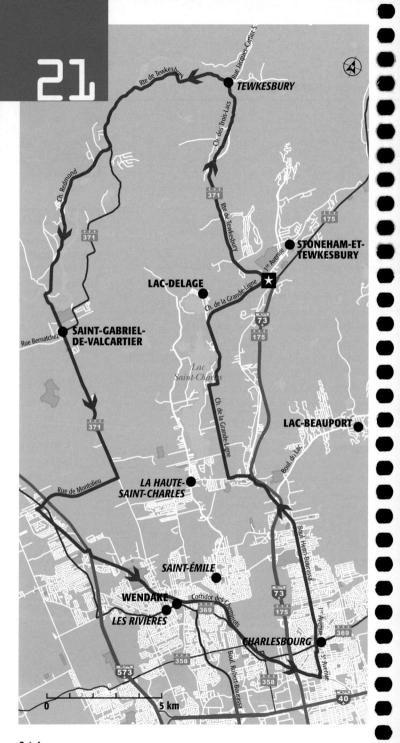

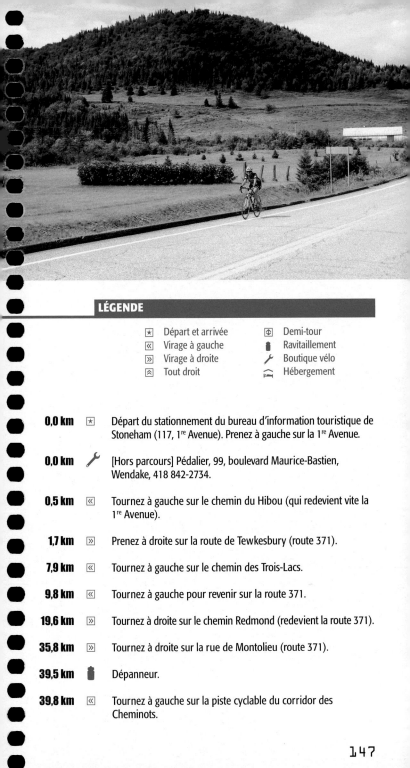

LÉGENDE

⊡	Départ et arrivée	⊞	Demi-tour
⧀	Virage à gauche	🔋	Ravitaillement
⧁	Virage à droite	🔧	Boutique vélo
⌃	Tout droit	🛏	Hébergement

0,0 km ⊡ Départ du stationnement du bureau d'information touristique de Stoneham (117, 1re Avenue). Prenez à gauche sur la 1re Avenue.

0,0 km 🔧 [Hors parcours] Pédalier, 99, boulevard Maurice-Bastien, Wendake, 418 842-2734.

0,5 km ⧀ Tournez à gauche sur le chemin du Hibou (qui redevient vite la 1re Avenue).

1,7 km ⧁ Prenez à droite sur la route de Tewkesbury (route 371).

7,9 km ⧀ Tournez à gauche sur le chemin des Trois-Lacs.

9,8 km ⧀ Tournez à gauche pour revenir sur la route 371.

19,6 km ⧁ Tournez à droite sur le chemin Redmond (redevient la route 371).

35,8 km ⧁ Tournez à droite sur la rue de Montolieu (route 371).

39,5 km 🔋 Dépanneur.

39,8 km ⧀ Tournez à gauche sur la piste cyclable du corridor des Cheminots.

21

Jacques Marleau, St-Augustin-de-Desmaures

«J'habite Saint-Augustin-de-Desmaures, mais j'aime bien me rendre ici, à Scott, pour parcourir ce circuit que j'affectionne tout particulièrement. Les routes empruntées sont paisibles et les paysages, splendides.»

croisera pratiquement que des fermes où s'affairent les travailleurs ainsi que des troupeaux de vaches qui regardent sans bouger ceux qui passent par là. Ce circuit ne comporte pas de grandes difficultés, cependant il est bon de savoir que la seconde partie est un tantinet plus exigeante que la première. Les montées et les descentes s'enchaînent, mais jamais le dénivelé n'est intimidant. Le ravitaillement et les aires de pique-nique se trouvent majoritairement dans la première partie du parcours – prévoyez le coup!

UNE PAUSE Au km 13,2 est aménagée une halte municipale avec plusieurs tables de pique-nique et une toilette.

PETIT PLAISIR

SAVOUREUX CERVIDÉ

À l'**élevage de cerfs rouges Clément Labrecque**, non seulement on a la possibilité de nourrir et caresser les gracieuses bêtes, mais on peut également faire un saut à la boutique pour acheter cette viande savoureuse. Puisqu'il n'est pas aisé de trimballer une carcasse entière sur son vélo, on se rabat sur le filet mignon, le tournedos, le rosbif, tous de cerf.

1580, rg St-Étienne Nord
Sainte-Marie
418 387-8346
lecerflabrecque.com

LA CACHE À MAXIME
265, rue Drouin, Scott
418 387-5060
lacacheamaxime.com

Sur un magnifique domaine champêtre sont rassemblés un vignoble, une boutique et une excellente table. Laissez-vous tenter par la table d'hôte des terroirs arrosé d'un verre de vin d'un des trois cépages du vignoble : le Maréchal Foch, le Sainte-Croix et le Vandal-Cliche.

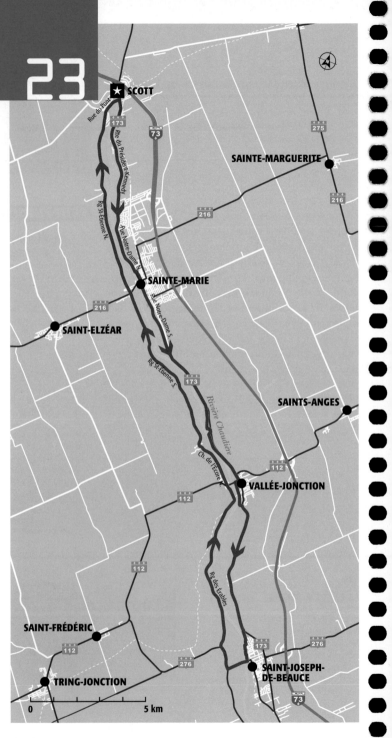

SCOTT

Rue du Pont

Rte du Président-Kennedy

Rang St-Étienne N.

Ave Notre-Dame N.

173

73

275

SAINTE-MARGUERITE

216

216

SAINTE-MARIE

Rue Notre-Dame S.

216

SAINT-ELZÉAR

Rang St-Étienne S.

173

Rivière Chaudière

SAINTS-ANGES

Ch. de l'Écore K.

112

VALLÉE-JONCTION

112

112

Rang des Érables

SAINT-FRÉDÉRIC

112

276

173

276

SAINT-JOSEPH-DE-BEAUCE

73

TRING-JONCTION

0   5 km

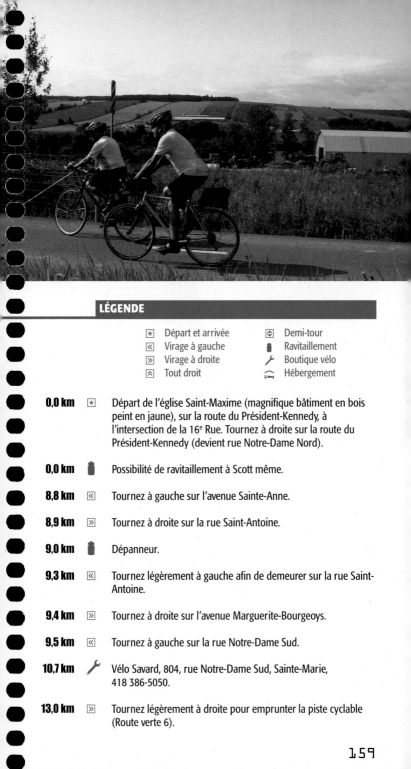

⋆	Départ et arrivée	⊕	Demi-tour
⟨⟨	Virage à gauche	▮	Ravitaillement
⟩⟩	Virage à droite	⚲	Boutique vélo
⬈	Tout droit	⌂	Hébergement

0,0 km ⋆ Départ de l'église Saint-Maxime (magnifique bâtiment en bois peint en jaune), sur la route du Président-Kennedy, à l'intersection de la 16e Rue. Tournez à droite sur la route du Président-Kennedy (devient rue Notre-Dame Nord).

0,0 km ▮ Possibilité de ravitaillement à Scott même.

8,8 km ⟨⟨ Tournez à gauche sur l'avenue Sainte-Anne.

8,9 km ⟩⟩ Tournez à droite sur la rue Saint-Antoine.

9,0 km ▮ Dépanneur.

9,3 km ⟨⟨ Tournez légèrement à gauche afin de demeurer sur la rue Saint-Antoine.

9,4 km ⟩⟩ Tournez à droite sur l'avenue Marguerite-Bourgeoys.

9,5 km ⟨⟨ Tournez à gauche sur la rue Notre-Dame Sud.

10,7 km ⚲ Vélo Savard, 804, rue Notre-Dame Sud, Sainte-Marie, 418 386-5050.

13,0 km ⟩⟩ Tournez légèrement à droite pour emprunter la piste cyclable (Route verte 6).

159

23

On nous a dit...

L'ouragan Irene, qui a sévi en août 2011, a particulièrement frappé la Beauce. Le niveau de la rivière Chaudière a monté spectaculairement, inondant plusieurs terres agricoles et emportant des tronçons de route. Une partie d'un pont qui enjambe la rivière des Fermes a été emportée par la crue des eaux.

LÉGENDE

⋆	Départ et arrivée	⊕	Demi-tour
≪	Virage à gauche	▮	Ravitaillement
≫	Virage à droite	⚒	Boutique vélo
⌂	Tout droit	⌂	Hébergement

20,2 km ▮ Épicerie.

20,2 km ≪ Tournez à gauche pour poursuivre sur la piste cyclable (Route verte 6).

21,5 km ≫ Tournez à droite pour rester sur la Route verte 6. La piste se termine ici et on continue sur une voie partagée (route 173 Sud).

27,3 km ≫ Au Y, prenez à droite pour poursuivre sur la Route verte 6.

28,6 km ▮ Épicerie.

28,9 km ≫ Tournez à droite sur la rue Martel pour emprunter le pont qui enjambe la rivière Chaudière.

30,0 km ≫ Tournez à droite sur le rang des Érables (devient chemin du Coteau, puis chemin de l'Écore Sud, puis chemin de l'Écore Nord, puis rang Saint-Étienne Sud, puis rang Saint-Étienne Nord).

39,0 km ▮ Dépanneur.

49,3 km ⌂ Continuez tout droit pour poursuivre sur le rang Saint-Étienne Nord.

58,0 km ⌂ Continuez tout droit pour poursuivre sur la route 171 Sud.

58,7 km ≪ Tournez à gauche sur la route 173 Nord (route du Président-Kennedy).

59,3 km ⋆ De retour à votre point de départ.

24

RÉGION
Chaudière-Appalaches

[Beaumont › Saint-Michel-de-Bellechasse › Saint-Vallier ›
La Durantaye › Beaumont]

DISTANCE	**NIVEAU**	**DÉNIVELÉ POSITIF**
54,4 km	●●●○○	179 m

S'Y RENDRE

De l'autoroute 20,
prendre la
sortie 337 pour
poursuivre sur la
route 279 Nord. À
la jonction, tourner
à droite sur la route
132 Est, puis à
gauche sur le
chemin du
Domaine. Le
départ se fait à
l'église Saint-
Étienne de
Beaumont, au 60,
chemin du
Domaine.
Stationnement
disponible.

Là où le fleuve dévoile tous ses charmes

Vous rêvez d'enfiler des kilomètres les yeux fixés
sur la route sans vous attarder aux paysages ? Cette
balade n'est pas pour vous. On s'adresse ici aux
contemplatifs : la distance parcourue est modeste,
de même que le dénivelé, et de tous côtés les paysages suscitent les oh ! et les ah !

La première partie du trajet longe le fleuve
d'où on admire, sur la gauche, la paisible île
d'Orléans. Au fil des kilomètres, le Saint-Laurent
gagne en largeur et en beauté. On aperçoit
bientôt l'île aux Coudres puis, en contrebas, la
baie de Berthier. On traverse les très beaux villages
de Beaumont, Saint-Michel-de-Bellechasse et Saint-
Vallier, trois joyaux dont les demeures anciennes
sont magnifiquement préservées. N'hésitez surtout

🏠
MANOIR DE BEAUMONT
485, rte du Fleuve, Beaumont
418 833-5635
manoirdebeaumont.qbc.net
Cette magnifique demeure sise sur
un grand domaine offrant une vue
panoramique sur la région loue plusieurs chambres confortables décorées de meubles beaux et anciens.
Les copieux petits déjeuners sont servis dans la salle à manger aux murs de
pierre. Remise verrouillée pour les vélos.

162

PARCOURS PROPOSÉ PAR
Marc Lépine, Verchères

« C'est à Beaumont que le fleuve s'ouvre, qu'il nous donne un avant-goût de l'océan. De village en village, il devient de plus en plus vaste. Sur la rive nord, les Laurentides s'y noient. Au retour de la boucle, on roule dans les champs de Bellechasse, entre le fleuve et les Appalaches. On croise la rivière Boyer qui creuse, modèle et arrondit le sol. »

pas à explorer ces villages en profondeur et à vous attarder au moulin de Beaumont, digne d'une carte postale.

On quitte ensuite le majestueux cours d'eau pour s'enfoncer dans les terres, où le panorama sera tout aussi saisissant. Nulle part ailleurs au Québec le décor agricole n'est à ce point enivrant. À droite, dans le lointain, on devine le fleuve, plus loin encore les montagnes – dont le mont Sainte-Anne –, tandis qu'à gauche défilent les Appalaches. Ici et là, des fermes et leurs troupeaux, et partout cette quiétude omniprésente.

UNE PAUSE Au km 4,9, la halte municipale de Saint-Vallier offre plusieurs tables de pique-nique couvertes. Au km 10,0, la marina de Saint-Michel-de-Bellechasse abrite un restaurant et des toilettes, en plus de disposer de quelques tables de pique-nique.

LEMIEUX TRAITEUR
61, rue de l'Anse Sud, Beaumont
418 835-2796
lemieuxtraiteur.com
Cette coquette échoppe propose des plats cuisinés, mais aussi un espace bistro pour le petit déjeuner et le lunch. La carte change tous les jours, misant sur la fraîcheur et les produits locaux.

163

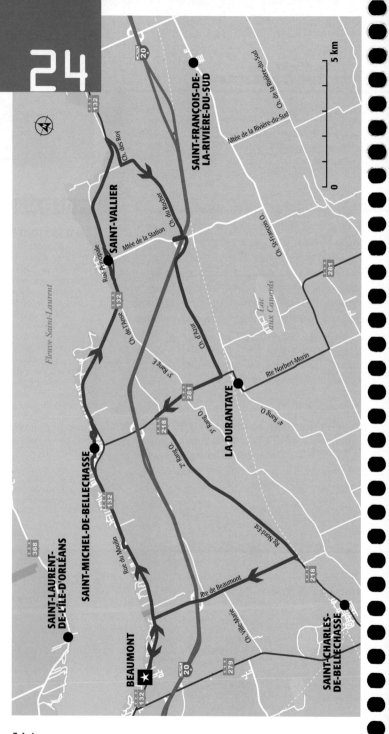

24

SAINT-FRANÇOIS-DE-
LA-RIVIÈRE-DU-SUD

SAINT-VALLIER

LA DURANTAYE

SAINT-LAURENT-
DE-L'ÎLE-D'ORLÉANS

SAINT-MICHEL-DE-BELLECHASSE

BEAUMONT

SAINT-CHARLES-
DE-BELLECHASSE

Fleuve Saint-Laurent

Ch. des Roy
Ch. du Rocher
Mlée de la Station
Rue Principale
Ch. de l'Anse
3e Rang E.
Ch. d'Azur
3e Rang O.
2e Rang O.
1e Rang O.
Rue du Moulin
Rte de Beaumont
Ch. Ville-Marie
Rte Norbert-Morin
4e Rang O.
Ch. St-François O.
Mlée de la Rivière-du-Sud
Ch. de la Rivière-du-Sud
Lac aux Canards
Rg Nord-Est

132
20
281
218
368
279
132

5 km

0

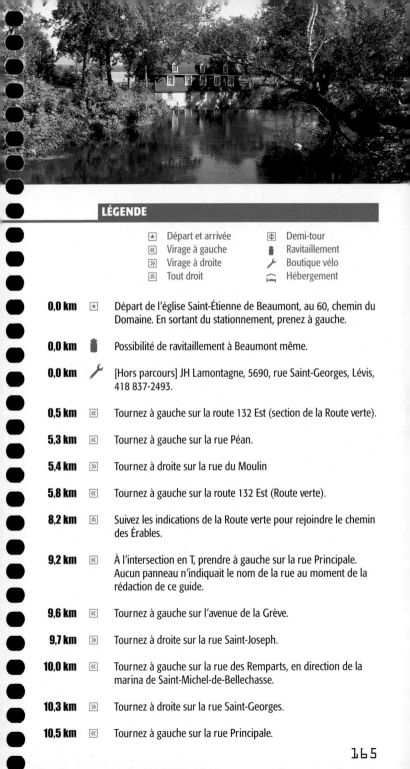

0,0 km ⋆ Départ de l'église Saint-Étienne de Beaumont, au 60, chemin du Domaine. En sortant du stationnement, prenez à gauche.

0,0 km 🔋 Possibilité de ravitaillement à Beaumont même.

0,0 km 🔧 [Hors parcours] JH Lamontagne, 5690, rue Saint-Georges, Lévis, 418 837-2493.

0,5 km ≪ Tournez à gauche sur la route 132 Est (section de la Route verte).

5,3 km ≪ Tournez à gauche sur la rue Péan.

5,4 km ≫ Tournez à droite sur la rue du Moulin

5,8 km ≪ Tournez à gauche sur la route 132 Est (Route verte).

8,2 km ⋀ Suivez les indications de la Route verte pour rejoindre le chemin des Érables.

9,2 km ≪ À l'intersection en T, prendre à gauche sur la rue Principale. Aucun panneau n'indiquait le nom de la rue au moment de la rédaction de ce guide.

9,6 km ≪ Tournez à gauche sur l'avenue de la Grève.

9,7 km ≫ Tournez à droite sur la rue Saint-Joseph.

10,0 km ≪ Tournez à gauche sur la rue des Remparts, en direction de la marina de Saint-Michel-de-Bellechasse.

10,3 km ≫ Tournez à droite sur la rue Saint-Georges.

10,5 km ≪ Tournez à gauche sur la rue Principale.

MARC LÉPINE
NOUS A DIT...

« Dans les années 1910, deux frères ont hérité de la maison de leur défunt père. Il était connu dans le village que les deux frères ne s'aimaient guère. L'héritage familial a littéralement été scié en deux, et une des deux parties a été déménagée ailleurs. Sur la photo, la partie de droite est l'originale, celle de gauche, une extension ajoutée après l'amputation. Où est rendue la moitié gauche originale ? L'histoire ne le dit pas... »

LÉGENDE

★	Départ et arrivée	⊕	Demi-tour
≪	Virage à gauche	🍶	Ravitaillement
≫	Virage à droite	🔧	Boutique vélo
⌂	Tout droit	🛏	Hébergement

11,2 km ≪ Tournez à gauche sur la route 132 Est (Route verte).

17,0 km ≪ Tournez à gauche sur la rue Principale pour entrer dans le village de Saint-Vallier.

18,4 km ≪ Tournez à gauche sur la route 132 Est (section de la Route verte).

22,7 km ≫ Tournez à droite sur le chemin des Roy.

23,9 km ≪ Tournez à gauche sur le chemin du Rocher. Aucun panneau n'indiquait le nom de la rue au moment de la rédaction de ce guide.

28,4 km ≪ Tournez à gauche sur la montée de la Station.

28,9 km ≫ Tournez à droite sur le chemin d'Azur.

34,8 km ≫ Tournez à droite sur la rue Olivier-Morel.

37,8 km ≪ Tournez à gauche sur le 2ᵉ Rang Ouest.

45,8 km ≫ Tournez à droite sur la route de Beaumont.

52,1 km ≪ Tournez à gauche sur la route 132 Ouest (section de la Route verte)

54,0 km ≫ Tournez à droite sur le chemin du Domaine (suivez les indications de la Route verte).

54,4 km ★ De retour à votre point de départ.

25

RÉGION
Québec

[Toutes les municipalités de l'Île-d'Orléans]

DISTANCE	NIVEAU	DÉNIVELÉ POSITIF
67,0 km	●●○○○	**295 m**

S'Y RENDRE

Prendre la route 138 jusqu'au pont de l'Île-d'Orléans (route 368). Une fois le pont traversé, tourner à gauche sur le chemin Royal et rouler 2,5 km jusqu'au stationnement de l'église de Saint-Pierre-de-l'Île-d'Orléans, sise au 1243.

Une île et son terroir

Voici un des parcours les plus champêtres du Québec : l'île d'Orléans, un joyau jalousement préservé par ses insulaires, des gens fiers et conscients de leur patrimoine tant bâti que paysager. En 1535, quand Jacques Cartier découvre cette île, il la nomme «île de Bacchus» en raison des nombreuses vignes sauvages qui prolifèrent sur l'île. De nos jours, le terroir est à l'honneur : on retrouve les petits fruits classiques – fraises ou bleuets –, ainsi que de beaux légumes, mais aussi, depuis quelques années, de vigoureuses vignes et même du cassis. Ici et là ont pignon sur rue des boutiques artisanales, de bons restos, des boulangeries, des chocolateries. Si on ouvre l'œil, dans les champs, on peut toujours repérer quelques vieux caveaux à légumes. Fait rare, l'affichage grand format est inexistant sur cette île musée. Invitant, n'est-ce pas ?

LE VIEUX PRESBYTÈRE
1247, av. Monseigneur-D'Esgly,
Saint-Pierre-de-l'Île-d'Orléans
418 828-9723
presbytere.com
Ancien presbytère, cette chaleureuse auberge est située au point de départ de la randonnée. Il est possible de dormir dans les anciennes chambres du curé ou du vicaire, ou encore de passer la nuit dans la magnifique chambre du Cloître des nonnes. Restauration sur place.

168

«Je vous convie à l'une des plus belles randonnées de vélo de la région de Québec : le tour de l'île d'Orléans. Dans un paysage bucolique, en longeant maisons centenaires et lieux historiques, en s'arrêtant pour déguster des produits locaux, c'est l'enchantement assuré.»

Ce parcours qui débute à Saint-Pierre-de-l'Île-d'Orléans n'est pas très difficile mais compte néanmoins quelques montées ainsi que des faux plats. Certains jours, le vent est à prendre en considération. La plupart du temps, on roule sur les terres hautes de l'île en longeant la route qui la ceinture. Un chapelet de villages coquets et de belles églises soigneusement bichonnées égaient cet endroit unique en son genre. Sur la rive nord de l'île, une enfilade de perspectives se déploient avec, en arrière-plan, la chaîne de montagnes laurentiennes qui découpent l'horizon alors qu'au premier plan, les villages côtiers s'agrippent à la Côte-de-Beaupré. Sur la rive sud de l'île, l'œil se perd dans la longue plaine côtière qui s'étire jusqu'au piémont des Appalaches. En résumé, que du bonbon...

UNE PAUSE À Saint-Jean-de-l'Île-d'Orléans, vous pouvez relaxer à la plage municipale tout en contemplant le majestueux Saint-Laurent. Saint-François-de-l'Île-d'Orléans dispose d'une halte champêtre avec tour d'observation.

PETIT PLAISIR

L'ODEUR DU PAIN CHAUD

La Boulange est le type d'endroit prisé par les cyclistes qui aiment boire un bon et vivifiant café. Grande variété de pains, de fines pizzas et de viennoiseries, le tout servi sur une terrasse avec vue sur le fleuve.

2001, ch. Royal
Saint-Jean-de-l'Île-d'Orléans
418 829-3162

✗ LE MOULIN DE SAINT-LAURENT
754, ch. Royal, Saint-Laurent-de-l'Île-d'Orléans
418 829-3888
moulinstlaurent.qc.ca

Installé dans un ancien moulin à farine datant de 1720, ce restaurant à l'architecture exceptionnelle, entretenu avec grand soin, offre une fine cuisine du terroir. Terrasse au pied d'une chute... Certifié Bienvenue amoureux !

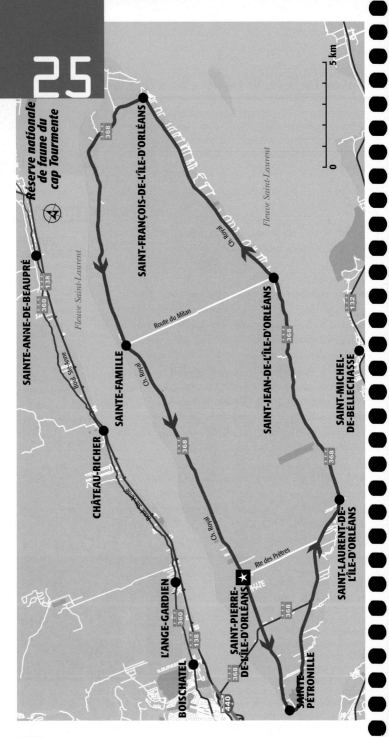

25

DANIEL TERRIEN
NOUS A DIT...

«À proximité du village de Saint-Jean-de-l'Île-d'Orléans, sur le chemin Lafleur, vous croiserez l'ancien "Hameau des pilotes". La légende veut qu'il ait été habité par des sorciers. Méfiez-vous, de mauvais esprits rôderaient toujours dans les parages et auraient un faible pour la gent cycliste...»

LÉGENDE

★	Départ et arrivée	⊡	Demi-tour
≪	Virage à gauche	▮	Ravitaillement
≫	Virage à droite	⚒	Boutique vélo
⊼	Tout droit	⌂	Hébergement

0,0 km	★	Départ de l'église de Saint-Pierre-de-l'Île-d'Orléans (1243, chemin Royal). Prenez à droite à la sortie du stationnement.
2,8 km	⚒	Écolo Cyclo, 517, chemin Royal, 418 828-0370.
12,5 km	≫	Tournez à droite sur la route Prévost (route 368).
17,5 km	▮	Épicerie.
18,5 km	▮	Épicerie.
29,0 km	▮	Dépanneur.
67,0 km	★	De retour à votre point de départ.

26

[Lac-Mégantic › Marston › Piopolis › Lac-Mégantic]

DISTANCE	NIVEAU	DÉNIVELÉ POSITIF
53,6 km	●●●●○	**371 m**

S'Y RENDRE

De l'autoroute 10,
prendre la sortie
143 pour
emprunter
l'autoroute Louis-
Bilodeau (610 Est),
puis suivre les
indications pour
Lac-Mégantic
(routes 112 Est, 214
Est, 108 Est et 161
Sud). Le départ
s'effectue au parc
des Vétérans, à
l'intersection des
boulevards des
Vétérans et Stearns.
Stationnement
disponible.

Le tour du lac

Le tour du lac Mégantic est un classique. Et comme tout classique qui se respecte, il ne se démode pas. Il suffit de le rouler ne serait-ce qu'une fois pour découvrir ce qui en fait un parcours si couru par les cyclistes. D'abord, il y a ce lac qu'on ne quitte à peu près jamais, qu'on perd de vue de courts instants et qui revient sans crier gare, sous un autre angle, une perspective différente. On ne s'en lasse pas. Puis il y a cette route qu'on vient à peine de réasphalter, toujours bordée d'un large accotement, parsemée de montées et de descentes avec le vertige et les points de vue enivrants qui les accompagnent. Bonheur.

Un peu avant la moitié du trajet, on découvre le mignon village de Piopolis et son histoire pour le moins singulière (voir ON NOUS A DIT en page 179). On roule en pleine zone de villégiature, la circulation est plutôt réduite, les automobilistes habitués à croiser des hordes de cyclistes se montrent cour-

🏠🍴
L'EAU BERGE
3550, boul. Stearns, Lac-Mégantic
819 583-1340
leauberge.com
Cette belle auberge située tout près du lac Mégantic possède vingt et une chambres climatisées dont plusieurs avec vue sur la marina, le parc et le lac. Wifi, pub animé et restaurant avec terrasse. Les vélos sont admis dans les chambres.

PARCOURS PROPOSÉ PAR
CHANTAL LESSARD, LAC-MÉGANTIC

«Ce parcours est bien populaire dans la région. C'est un peu notre Tour de l'Île de Montréal : chaque année, au début de juin, près de 800 cyclistes s'y frottent. Pour ma part, j'aime le parcourir autant de fois que je peux, et ce, du printemps à l'automne. Pour varier, je le fais dans un sens ou dans l'autre.»

tois. Dans la version du parcours proposée ici, vous vous frottez aux montées les plus exigeantes dès le départ ; ainsi, à mi-parcours, les plus grandes difficultés seront derrière, et vous vous laisserez pratiquement descendre jusqu'à la municipalité de Lac-Mégantic. Il est à noter qu'au départ, on emprunte une piste cyclable qui, quelques kilomètres plus loin, délaisse sa surface goudronnée pour une poussière de roche ; la transition s'effectue toutefois sans heurts.

UNE PAUSE À Piopolis, la toute nouvelle halte des Zouaves vous accueille avec quelques tables de pique-nique et des toilettes ; au km 44,2, sur la route 161, la halte de Frontenac offre aussi quelques tables de pique-nique.

✗
RESTAURANT LE CITRON VERT
3515, boul. Stearns, Lac-Mégantic
819 583-1778
À cette adresse sans prétention, on sert une cuisine simple mais bien exécutée : plusieurs plats mexicains, quelques plats de poisson. Magnifique terrasse directement sur le lac Mégantic.

175

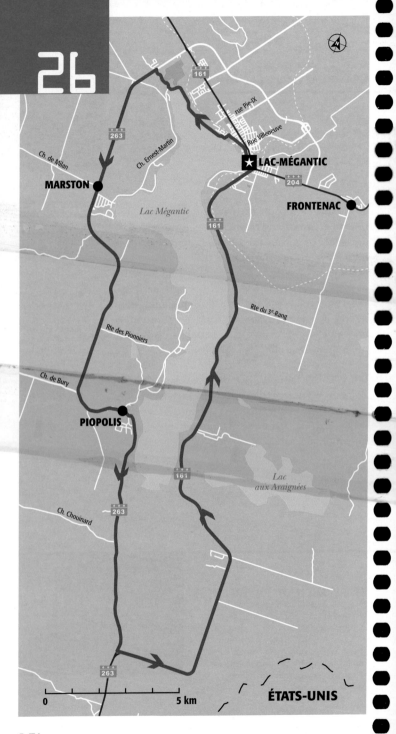

26

MARSTON

LAC-MÉGANTIC

FRONTENAC

PIOPOLIS

ÉTATS-UNIS

Ch. de Milan
Ch. Ernest-Martin
Lac Mégantic
rue Pie-IX
Rue Villeneuve
Rte du 3ᵉ-Rang
Rte des Pionniers
Ch. de Bury
Lac aux Araignées
Ch. Chouinard
161
263
204
161
161
263
263

0   5 km

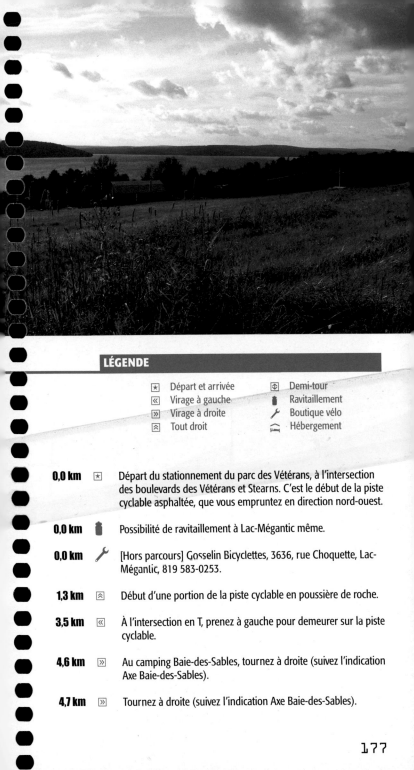

⋆	Départ et arrivée	⊕	Demi-tour
«	Virage à gauche	🔋	Ravitaillement
»	Virage à droite	🔧	Boutique vélo
⌃	Tout droit	🛏	Hébergement

0,0 km ⋆ Départ du stationnement du parc des Vétérans, à l'intersection des boulevards des Vétérans et Stearns. C'est le début de la piste cyclable asphaltée, que vous empruntez en direction nord-ouest.

0,0 km 🔋 Possibilité de ravitaillement à Lac-Mégantic même.

0,0 km 🔧 [Hors parcours] Gosselin Bicyclettes, 3636, rue Choquette, Lac-Mégantic, 819 583-0253.

1,3 km ⌃ Début d'une portion de la piste cyclable en poussière de roche.

3,5 km « À l'intersection en T, prenez à gauche pour demeurer sur la piste cyclable.

4,6 km » Au camping Baie-des-Sables, tournez à droite (suivez l'indication Axe Baie-des-Sables).

4,7 km » Tournez à droite (suivez l'indication Axe Baie-des-Sables).

On nous a dit...

À l'origine, Piopolis – qui veut dire «la ville de
Pie», en référence au pape de l'époque – portait
le nom de Marston-Sud. Ce n'est qu'en 1958 qu'elle prit le nom qu'on lui connaît
maintenant. Partis de Montréal en 1871, quatorze jeunes zouaves pontificaux,
défenseurs du pape Pie IX, s'y installèrent pour contribuer à la colonisation du territoire.

LÉGENDE

⋆	Départ et arrivée	⬆	Demi-tour
≪	Virage à gauche	▮	Ravitaillement
≫	Virage à droite	⚲	Boutique vélo
⌂	Tout droit	⌂	Hébergement

5,6 km ≫ À la sortie du camping, tournez à droite. Aucun panneau n'indiquait le nom de la rue au moment de la rédaction de ce guide.

6,0 km ≪ Tournez à gauche sur la route 263 Sud.

21,0 km ▮ Magasin général.

29,9 km ≪ Tournez à gauche sur la route 161 Nord.

53,1 km ≪ Tournez à gauche sur la rue Frontenac (route 161 Nord).

53,4 km ≪ Tournez à gauche sur le boulevard Stearns.

53,6 km ⋆ De retour à votre point de départ.

27

[Saguenay (La Baie) › Saint-Félix-d'Otis › Saguenay (La Baie)]

DISTANCE	**NIVEAU**	**DÉNIVELÉ POSITIF**
56,5 km	●●●●●	461 m

S'Y RENDRE

Prendre jusqu'à La Baie, un secteur de Saguenay, la route 170 (devient rue Bagot). Au bout de la rue Bagot, tourner à gauche sur la rue Mars. Suivre les indications pour le quai des croisières. Stationnement disponible.

Au royaume du fjord

Ce parcours ravira les amateurs de grimpe qui aiment relever des défis. En prime, un décor enchanteur ! La grande diversité de paysages rencontrés sur la route donne un juste aperçu de ce coin de pays. Évidemment, on découvre le célèbre fjord du Saguenay, mais également la baie des Ha ! Ha !, les montagnes laurentiennes et leurs forêts grandioses, des cascades et des lacs, le tout dans un environnement relativement épargné par l'emprise humaine. Avant de vous aventurer sur ce parcours très escarpé, ayez idéalement déjà roulé plusieurs centaines de kilomètres depuis le début de la saison : vous serez alors suffisamment en forme pour profiter pleinement de cet exercice costaud.

Le départ se fait au quai des croisières dans l'arrondissement La Baie, à Saguenay. Les premiers

AUBERGE DES BATTURES
6295, boul. de la Grande-Baie Sud,
Saguenay (La Baie)
418 544-8234
hotel-saguenay.com
Cette superbe auberge tout en bois surplombe la baie des Ha ! Ha !, embrassant un panorama exceptionnel. Wifi et restauration sur place.

Les établissements certifiés Bienvenue cyclistes ! sont répertoriés à routeverte.com/bienvenuecyclistes.

PARCOURS PROPOSÉ PAR
DANY GAGNON, JONQUIÈRE

«Les panoramas ne manquent pas sur ce parcours. Et que dire des points de vue splendides sur le majestueux fjord! Les cyclistes qui cherchent un défi le trouveront dans les deux ascensions des côtes à Caribou et de Robe noire. En un mot, il faut le rouler pour l'apprécier!»

kilomètres se déroulent sur la piste cyclable panoramique qui longe la baie des Ha! Ha! On passe ensuite sur la large route 170, pourvue d'un bel accotement asphalté sur toute sa longueur. Après un doux virage, la route se dresse vers le ciel. Apparaît la première grosse montée de ce parcours : la côte à Caribou, une ascension de 2,5 km qui vous fait quitter la route 170 pour une petite route fraîchement bitumée, lisse comme une table de billard. Cette portion de parcours propose une enfilade de montées, parfois à fort pourcentage, mais aussi des descentes enivrantes. Tout entortillée, la route se fraie un chemin dans une forêt majestueuse où il n'y a pratiquement aucune résidence. La dernière descente qui plonge vers le fjord du Saguenay a de quoi marquer les mémoires. Un parcours inoubliable!

UNE PAUSE Le joli parc municipal de Saint-Félix-d'Otis, sis face à un lac, se prête bien à une escale. D'autres haltes jalonnent le parcours, dont l'une au km 32,0, sur le bord du fjord.

PETIT PLAISIR

DOUCEURS SUCRÉES... OU PAS!

La chocolaterie **Choco-Accro** est située tout près du point de départ. Profitez-en pour faire le plein d'énergie en émoustillant vos papilles. À ne pas rater : le fameux chocolat au bleuet sans sucre, une spécialité de la maison.

1262, av. du Port
Saguenay (La Baie)
418 544-3075

AUBERGE DES 21
621, rue Mars
Saguenay (La Baie)
418 697-2121
aubergedes21.com
Une des tables les plus renommées de la région. Le chef, aux chaudrons depuis belle lurette, aime bien travailler avec des produits régionaux, particulièrement le gibier et les champignons. Terrasse extérieure face au port.

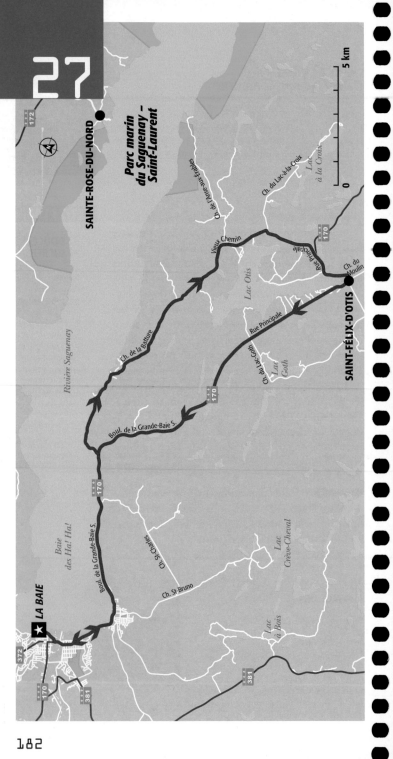

SAINTE-ROSE-DU-NORD

*Parc marin
du Saguenay –
Saint-Laurent*

SAINT-FÉLIX-D'OTIS

LA BAIE

Ch. de l'Anse-aux-Érables

Ch. du Lac-à-la-Croix

*Lac
à la Croix*

Vieux Chemin

Rue Principale

Ch. du Moulin

Lac Otis

Rue Principale

Ch. du Lac-Goth

*Lac
Goth*

Ch. de la Batture

Rivière Saguenay

Boul. de la Grande-Baie S.

Boul. de la Grande-Baie S.

Ch. St-Charles

Ch. St-Bruno

*Baie
des Ha! Ha!*

*Lac
Crève-Cheval*

*Lac
à Bois*

172

170

170

170

372

170

381

381

5 km

0

ON NOUS A DIT...

Si vous apercevez un homme nager le matin,
puis rouler à vélo en après-midi et que vous le
recroisez en fin de journée en train de faire de la course à pied, vous n'avez pas la berlue :
c'est nul autre que le triathlonien Pierre Lavoie !

LÉGENDE

⋆	Départ et arrivée	⬆	Demi-tour
≪	Virage à gauche	🥤	Ravitaillement
≫	Virage à droite	🔧	Boutique vélo
⬈	Tout droit	🏠	Hébergement

0,0 km	⋆	Les 4,6 premiers kilomètres s'effectuent sur la piste cyclable, qui débute au quai des croisières.
0,0 km	🔧	[Hors parcours] Intersport, 2100, rue Bagot, La Baie, 418 544-0877.
4,6 km	≫	Au bout de la piste cyclable, tournez à droite.
4,7 km	≪	Prenez à gauche sur le boulevard de la Grande-Baie Nord (route 170 qui devient boulevard de la Grande-Baie Sud).
4,8 km	🥤	Épicerie.
24,7 km	🥤	Épicerie.
28,0 km	≪	À la fourche, prenez à gauche sur le chemin de la Batture (Vieux Chemin).
31,8 km	🥤	Dépanneur.
45,0 km	≫	Tournez à droite sur la route 170 (devient boulevard de la Grande-Baie Sud).
51,8 km	≫	Tournez à droite sur la rue Saint-Pascal.
51,9 km	≪	Tournez à gauche pour rejoindre la piste cyclable.
56,5 km	⋆	De retour à votre point de départ.

28

RÉGION
Bas-Saint-Laurent

[Rivière-du-Loup › Saint-Arsène › Notre-Dame-du-Portage ›
Rivière-du-Loup]

DISTANCE	NIVEAU	DÉNIVELÉ POSITIF
71,4 km	●●●○○	323 m

S'Y RENDRE

De l'autoroute 20,
prendre la sortie
503. Poursuivre sur
la route 132 Est
(rue Fraser), puis
sur le boulevard de
l'Hôtel-de-Ville
jusqu'au
stationnement du
supermarché IGA
situé au 254, à
l'intersection de la
rue des Cerisiers.

Effluves fluviaux

La variété des paysages traversés fait souvent tout
le plaisir d'une randonnée à vélo. Cette variété,
on la retrouve sur ce parcours de la bucolique région du Bas-Saint-Laurent. Quelques raidillons un
peu casse-pattes corsent le trajet mais, en général,
le niveau demeure moyen.

   Depuis Rivière-du-Loup, où commence l'escapade, la route monte tout doucement à travers les
terres agricoles. Les eaux du Saint-Laurent miroi-
tent au loin. Beau tableau. Au détour de petites
routes peu achalandées, des champs tapissés
d'avoine, de blé ou de canola prennent racine
dans les sols riches des terres argileuses. Aux croi-
sements des chemins de campagne, de petits villages proprets se hérissent sur les coteaux, leurs
longs clochers pointant vers le ciel. Bovins et chevaux habitent ces heureux et douillets pâturages.
ainsi se clôt le volet agraire, l'autre portion de ce
parcours étant radicalement différente.

DAYS INN
182, rue Fraser, Rivière-du-Loup
418 862-6354
daysinnriviereduloup.com
Cet établissement situé tout près du
point de départ dispose de chambres
ou, encore plus intéressant pour les
cyclistes, de chalets tout équipés avec
cuisinettes et frigos. Piscine et wifi.

Les établissements certifiés Bienvenue cyclistes ! sont répertoriés à routeverte.com/bienvenuecyclistes.

« Le parcours proposé n'est pas très difficile mais présente tout de même quelques montées. Une partie se déroule à l'intérieur des terres, l'autre longe le fleuve avec l'archipel Les Pélerins en toile de fond. Ces paysages sont typiques de la région bas-laurentienne ».

Après une descente flamboyante, on débouche sur le Saint-Laurent qui, à cette latitude, s'ouvre en un large estuaire abritant une faune et une flore aquatiques diversifiées. Les derniers kilomètres se roulent en compagnie de ce majestueux cours d'eau aux effluves saumâtres. En traversant le hameau de Notre-Dame-du-Portage, on croise les villas et autres vieilles auberges jadis fréquentées par les richissimes hommes d'affaires de Montréal qui s'installaient dans le « bas du fleuve » pour fuir les grandes chaleurs de la ville. Aujourd'hui, on y vient pour pédaler !

UNE PETITE PAUSE Les deux jolies haltes de Notre-Dame-du-Portage (km 60,0 et 66,8) offrent une vue exceptionnelle sur l'estuaire et sur les cinq îles des Pèlerins.

PETIT PLAISIR

ÉTALS DÉBORDANTS

En période estivale, chaque samedi, le **marché public Lafontaine** invite tout un chacun à découvrir les produits régionaux dans une ambiance champêtre. Petits fruits, légumes frais, fromages, pains et pâtisseries fines remplissent les étals.

Carré Dubé
rue Lafontaine
Rivière-du-Loup

RESTAURANT LE SAINT-PATRICE
169, rue Fraser, Rivière-du-Loup
418 862-9895
restaurantlestpatrice.ca
Situé à deux pas du Days Inn, ce restaurant est reconnu comme une des meilleures tables du Bas-Saint-Laurent. L'intérieur, tout en boiseries, dégage une ambiance feutrée fort agréable. Au menu, une fine cuisine élaborée avec des produits régionaux d'inspiration française. Grande variété de fondues.

187

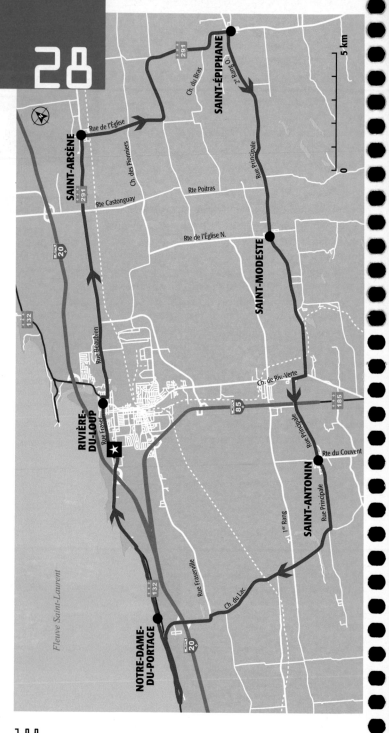

SAINT-ÉPIPHANE

291

291

Ch. du Bras

2ᵉ Rang O.

Rue de l'Église

SAINT-ARSÈNE

291

Rue Castonguay

Ch. des Pionniers

Rte Poitras

Rte de l'Église N.

Rue Principale

SAINT-MODESTE

20

132

Rue Beaubien

Ch. de Riv.-Verte

85

Rue Fraser

RIVIÈRE-
DU-LOUP

★

Rue Principale

Rte du Couvent

185

SAINT-ANTONIN

1ᵉʳ Rang

Rue Principale

132

Rue Fraserville

Ch. du Lac

20

NOTRE-DAME-
DU-PORTAGE

Fleuve Saint-Laurent

5 km

0

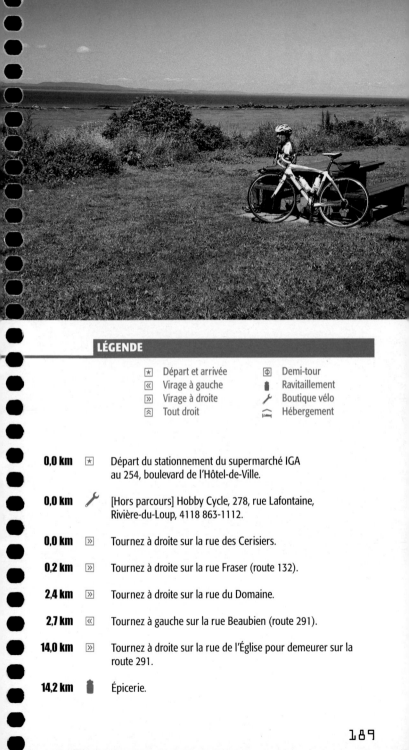

LÉGENDE

⊠	Départ et arrivée	⊞	Demi-tour
⊠	Virage à gauche	🮲	Ravitaillement
⊠	Virage à droite	🔧	Boutique vélo
⊠	Tout droit	🛏	Hébergement

0,0 km ⊠ Départ du stationnement du supermarché IGA au 254, boulevard de l'Hôtel-de-Ville.

0,0 km 🔧 [Hors parcours] Hobby Cycle, 278, rue Lafontaine, Rivière-du-Loup, 4118 863-1112.

0,0 km ⊠ Tournez à droite sur la rue des Cerisiers.

0,2 km ⊠ Tournez à droite sur la rue Fraser (route 132).

2,4 km ⊠ Tournez à droite sur la rue du Domaine.

2,7 km ⊠ Tournez à gauche sur la rue Beaubien (route 291).

14,0 km ⊠ Tournez à droite sur la rue de l'Église pour demeurer sur la route 291.

14,2 km 🮲 Épicerie.

28

ON NOUS A DIT...

Lors de la Seconde Guerre mondiale, des sous-
marins allemands se seraient aventurés jusqu'à
la hauteur de Rivière-du-Loup. Si vous voyez un périscope pointer dans votre direction,
c'est peut-être un de ces submersibles qui, à l'abri des regards, vous a à l'œil !

LÉGENDE

⋆	Départ et arrivée	⊕	Demi-tour
≪	Virage à gauche	▮	Ravitaillement
≫	Virage à droite	⚒	Boutique vélo
⌃	Tout droit	⌂	Hébergement

24,5 km ≫ Tournez à droite sur le 2ᵉ Rang Ouest (devient rue Principale).

24,5 km ▮ Dépanneur.

33,7 km ▮ Dépanneur.

40,0 km ≫ Tournez à droite sur le chemin de Rivière-Verte.

40,5 km ≪ Tournez à gauche sur la rue Principale.

40,5 km ▮ Dépanneur.

44,2 km ▮ Épicerie.

45,8 km ▮ Casse-croûte.

47,3 km ≫ Tournez à droite sur le chemin du Lac.

54,2 km ≪ Tournez à gauche sur la côte de la Mer.

56,8 km ≪ Tournez à gauche sur la route 132.

60,0 km ≫ Tournez à droite sur la Route du Fleuve.

66,8 km ≪ Tournez à gauche sur la route 132 (devient rue Fraser).

70,5 km ≫ Au carrefour giratoire, prenez la piste cyclable sur votre droite.

71,3 km ≪ Tournez à gauche sur la rue des Cerisiers.

71,4 km ⋆ De retour à votre point de départ.

29

[Sainte-Luce › Mont-Joli › Price › Saint-Octave-de-Métis › Métis-sur-Mer › Grand-Métis › Sainte-Flavie › Sainte-Luce]

DISTANCE	**NIVEAU**	**DÉNIVELÉ POSITIF**
82,7 km	●●●●○	423 m

S'Y RENDRE

Fleuve et mer

De l'autoroute 20, prendre la sortie 629 pour rejoindre la route 298 Nord en direction de Sainte-Luce. Tourner à gauche sur la route 132, puis à droite sur la côte de l'Anse. Au bout de cette rue, tourner à gauche sur la route du Fleuve Ouest et poursuivre jusqu'à l'église de Sainte-Luce, sise au 20 de la même rue. Stationnement disponible.

Ce parcours part de Sainte-Luce qui, grâce à sa baie abritée du vent d'ouest, se transforme, l'été, en véritable station balnéaire. De l'église, on grimpe rapidement vers le cœur du pays. On peut avoir l'impression de quitter trop vite la « mer », mais ce n'est que pour mieux la retrouver du haut du 3e Rang Est ; de cette vue peu commune, le fleuve se découvre autrement. Vient ensuite Mont-Joli, qu'on traverse en empruntant notamment le boulevard Jacques-Cartier, sympathique artère commerçante de la ville. Par la suite, on se dirige vers Price en enjambant la rivière Mitis ; le village évoque le Québec des années 1950. Haut perché, au loin, se dessine Saint-Octave-de-Métis, où on parvient après une belle montée, juste avant de redescendre vers Métis-sur-Mer – un moment d'enchantement bien mérité. Le circuit propose par la suite un bref aller-retour de 9 km jusqu'au secteur Les Boules, un coquet village qu'il ne faut pas manquer. La route est charmante : tout en longeant

Bienvenue cyclistes !

🏠 🍴

AUBERGE STE-LUCE ET SON CAFÉ DOUCEURS ET VICTUAILLES
46, rte du Fleuve Ouest, Sainte-Luce
418 739-4955
auberge-ste-luce.com
Situées au bord du fleuve, l'auberge et ses cabines laissent pleinement profiter de l'air salin. Ne manquez pas les petits déjeuners gargantuesques (parfaits pour les cyclistes), qui font courir les gens de la région toute l'année.

Les établissements certifiés Bienvenue cyclistes ! sont répertoriés à routeverte.com/bienvenuecyclistes.

PARCOURS PROPOSÉ PAR
Suzanne Lareau, Montréal

« J'ai fait ce parcours pour la première fois en 1999 lors du Grand Tour. Je suis littéralement tombée en amour avec la région et j'y reviens régulièrement depuis pour respirer l'air du fleuve. Rouler avec le fleuve en toile de fond offre un dépaysement assuré. »

la mer, on découvre le coin de pays que la bourgeoisie anglophone québécoise avait adopté, au début du 20ᵉ siècle, pour passer de doux étés. Maisons ravissantes, voire imposantes, qui rappellent la côte du Maine. Puis le retour s'amorce vers l'ouest. On passe devant les Jardins de Métis, un lieu enchanteur à découvrir absolument et un endroit où faire une pause donnant l'occasion de visiter l'exposition d'art contemporain qui chaque été marque ce jardin singulier. Enfin, on poursuit sur une route 132 assez passante en saison estivale et toujours venteuse. Après plusieurs de coups de pédale énergiques jusqu'à Sainte-Flavie, le retour vers Sainte-Luce se fait tout en douceur par la route du Fleuve.

UNE PAUSE Dans le secteur Les Boules, en face de l'église, une petite halte pourvue de quelques tables de pique-nique et de bancs donne sur le fleuve.

PETIT PLAISIR

DU MIEL CONTRE VENTS ET MARÉES

Le vent souffle terriblement sur ce coin de pays, et pourtant on fabrique au **Vieux Moulin** du miel et de l'hydromel qu'on a tout intérêt à déguster. On y vend aussi des produits fins dérivés du miel ainsi que divers produits régionaux. En prime, le deuxième étage de l'établissement héberge le petit musée de la Neufve-France.

141, rte de la Mer
Sainte-Flavie
418 775-8383
vieuxmoulin.qc.ca

✗ LE NIPIGON
18, rte du Fleuve Ouest, Sainte-Luce
418 739-6922
Situé à quelques pas du point de départ et d'arrivée, le bistro du Nipigon offre une vue imprenable sur le fleuve et la plage de Sainte-Luce. On y sert de copieux petits déjeuners et, plus tard dans la journée, une belle sélection de poissons et de fruits de mer. Ouvert l'été seulement.

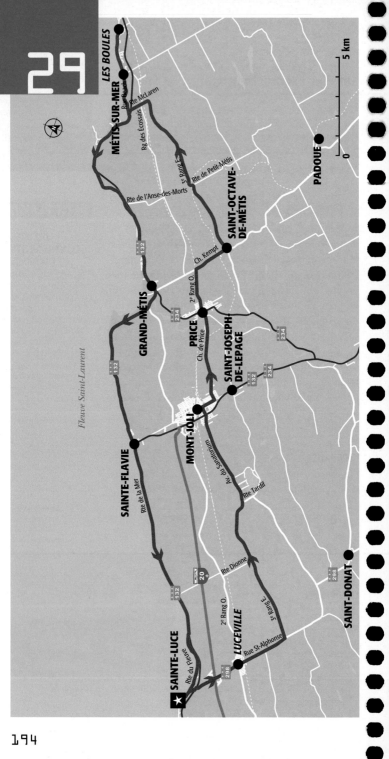

MÉTIS-SUR-MER

LES BOULES

Rue McLaren

Rue Beach

Rg des Écossais

Rte de l'Anse-des-Morts

3e Rang E.

Rte de Petit-Métis

SAINT-OCTAVE-
DE-MÉTIS

PADOUE

132

Ch. Kempt

Fleuve Saint-Laurent

GRAND-MÉTIS

2e Rang O.

234

PRICE

SAINT-JOSEPH-
DE-LEPAGE

234

132

234

Ch. de Price

132

MONT-JOLI

SAINTE-FLAVIE

Rte de la Mer

Av. du Sanatorium

Rte Tardif

SAINT-DONAT

298

20

Rte Dionne

2e Rang O.

Rte du Fleuve

LUCEVILLE

3e Rang E.

132

SAINTE-LUCE

★

298

Rue St-Alphonse

5 km

0

PARCOURS PROPOSÉ PAR
DAVID BARRETTE, MATANE

«Matane est un beau terrain de jeu pour faire du vélo, et mon choix de parcours le démontre bien : on y trouve du plat, mais aussi de bonnes montées, le tout dans un paysage aux multiples facettes, qui change d'un kilomètre à l'autre.»

nationalement pour sa pêche au saumon. Vous aurez même la chance de voir à l'œuvre des pêcheurs en pleine action dans leurs fosses respectives. Tout en haut de la rivière, sur les sommets des grosses collines appalachiennes, de sveltes et élancées éoliennes font tourner leurs immenses pales dans un ciel constamment balayé par les vents d'altitude.

Et tout doucement la route redescend vers Matane où, en plein centre-ville, des pêcheurs de saumon se donnent en spectacle, pour le plus grand bonheur des passants.

UNE PAUSE À l'intersection de la route 195, tournez à gauche et suivez les indications pour le pont couvert (détour d'environ 300 m). Une jolie halte vous attend sur le bord de la rivière Matane.

PETIT PLAISIR

VIN DU PAYS
Un vignoble en Gaspésie, voilà qui a de quoi surprendre ! En 2004, la famille **Carpinteri** plante ses premiers ceps dans une ancienne fraisière. Les vins sont conçus à partir de cépages hybrides, dont le baltica. Dégustation sur place.

3141, ch. du Pont-Couvert
Saint-Ulric
418 737-4305
vignoblecarpinteri.com

LA FABRIQUE
360, av. Saint-Jérôme, Matane
418 566-4020

En plein centre-ville de Matane, ce chaleureux restaurant formule pub est fréquenté par une clientèle ouverte et pleine d'entrain. Au menu, produits locaux et biologiques ainsi que différentes bières brassées sur place. Terrasse extérieure.

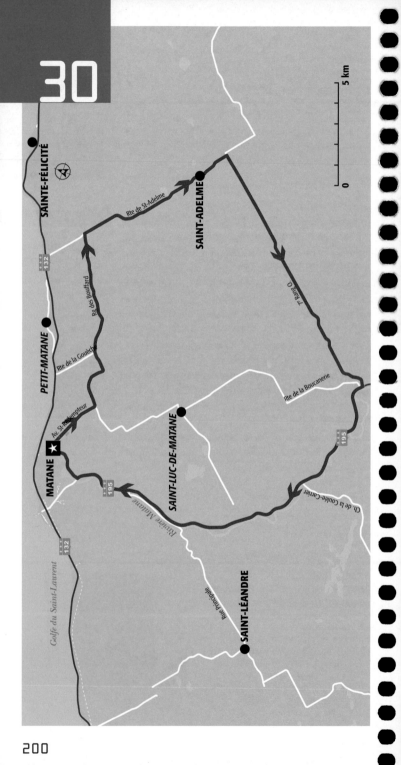

SAINTE-FÉLICITÉ

132

PETIT-MATANE

Rte de la Gouëche

Rg des Bouffard

Rte de St-Adelme

SAINT-ADELME

7e Rang O.

Av. St-Rédempteur

MATANE

Rte de la Boucanerie

195

SAINT-LUC-DE-MATANE

195

Ch. de la Coulée-Carrier

Rivière Matane

Golfe du Saint-Laurent

132

Rue Principale

SAINT-LÉANDRE

0   5 km

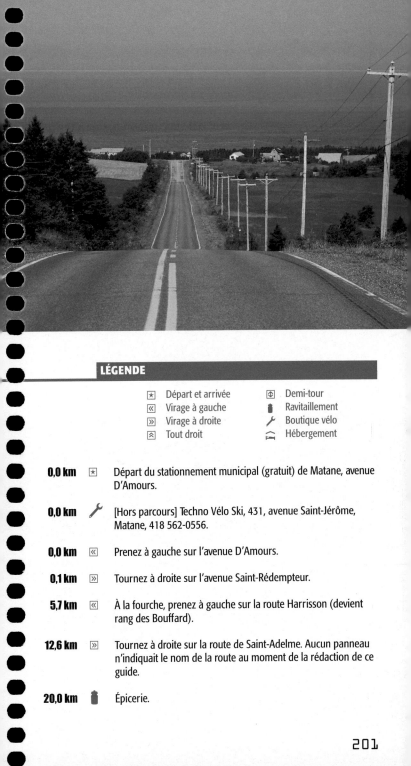

0,0 km ⭐ Départ du stationnement municipal (gratuit) de Matane, avenue D'Amours.

0,0 km 🔧 [Hors parcours] Techno Vélo Ski, 431, avenue Saint-Jérôme, Matane, 418 562-0556.

0,0 km « Prenez à gauche sur l'avenue D'Amours.

0,1 km » Tournez à droite sur l'avenue Saint-Rédempteur.

5,7 km « À la fourche, prenez à gauche sur la route Harrisson (devient rang des Bouffard).

12,6 km » Tournez à droite sur la route de Saint-Adelme. Aucun panneau n'indiquait le nom de la route au moment de la rédaction de ce guide.

20,0 km 🧴 Épicerie.

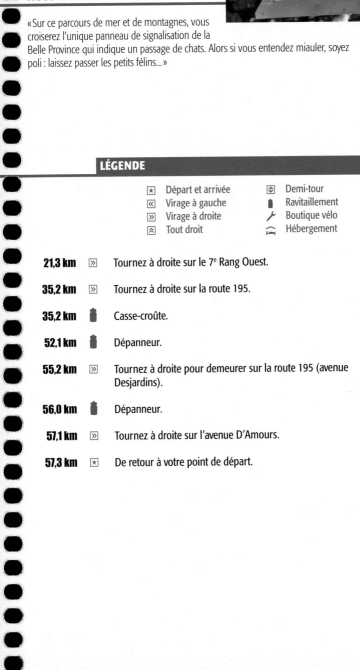

30

DAVID BARRETTE
NOUS A DIT...

«Sur ce parcours de mer et de montagnes, vous croiserez l'unique panneau de signalisation de la Belle Province qui indique un passage de chats. Alors si vous entendez miauler, soyez poli : laissez passer les petits félins...»

LÉGENDE

★	Départ et arrivée	⏷	Demi-tour
≪	Virage à gauche	🍶	Ravitaillement
≫	Virage à droite	🔧	Boutique vélo
⌂	Tout droit	🛏	Hébergement

21,3 km	≫	Tournez à droite sur le 7ᵉ Rang Ouest.
35,2 km	≫	Tournez à droite sur la route 195.
35,2 km	🍶	Casse-croûte.
52,1 km	🍶	Dépanneur.
55,2 km	≫	Tournez à droite pour demeurer sur la route 195 (avenue Desjardins).
56,0 km	🍶	Dépanneur.
57,1 km	≫	Tournez à droite sur l'avenue D'Amours.
57,3 km	★	De retour à votre point de départ.